Os Perigos do Imperador

Ruy Castro

Os Perigos do Imperador

Um romance do Segundo Reinado

4ª reimpressão

COMPANHIA DAS LETRAS

Grafia atualizada segundo o Acordo Ortográfico da Língua Portuguesa de 1990, que entrou em vigor no Brasil em 2009.

Capa e projeto gráfico
Alceu Chiesorin Nunes e Malu Romani

Imagens de capa
Acervo Fundação Biblioteca Nacional — Brasil (foto de d. Pedro I);
Shutterstock (jornal e fundo)

Imagem de quarta capa
Granger / Alamy / Fotoarena

Preparação
Isabel Cury

Revisão
Carmen T. S. Costa
Márcia Moura

Embora se inspire em fatos e pessoas reais, esta é uma obra de ficção.

Dados Internacionais de Catalogação na Publicação (CIP)
(Câmara Brasileira do Livro, SP, Brasil)

Castro, Ruy
Os perigos do imperador : Um romance do Segundo Reinado / Ruy Castro. — 1ª ed. — São Paulo : Companhia das Letras, 2022.

ISBN 978-65-5921-170-8

1. Ficção brasileira I. Título.
22-109468 CDD-B869.3

Índice para catálogo sistemático:
1. Ficção : Literatura brasileira B869.3
Cibele Maria Dias – Bibliotecária – CRB-8/9427

EDITORA SCHWARCZ S.A.
Rua Bandeira Paulista, 702, cj. 32
04532-002 — São Paulo — SP
Telefone: (11) 3707-3500
www.companhiadasletras.com.br
www.blogdacompanhia.com.br
facebook.com / companhiadasletras
instagram.com / companhiadasletras
twitter.com / cialetras

Os Perigos do Imperador

PRÓLOGO

O CORREIO DO PASSADO

Foi assim que esta história aconteceu — ou quase

O imperador d. Pedro II realmente esteve nos Estados Unidos em 1876, para as comemorações do Centenário da Independência americana. Foi a primeira etapa de uma longa excursão, que continuaria pela Europa, pelo Egito, pela Palestina e pela Ásia Menor, de que várias fotos ficariam famosas — d. Pedro no deserto, em pelo de camelo, diante das pirâmides etc. Mas a escala americana mal chegou até nós. Mesmo sendo a visita do único monarca do continente à mais rica república das Américas, tornou-se, se tanto, uma nota de rodapé na história do Brasil. Nem os biógrafos do imperador lhe dão muita importância no conjunto de seus feitos.

E talvez com razão, porque se o objetivo da viagem era reforçar as relações entre os dois países, nada de muito importante dela resultou. Nos três meses de sua duração, não se redigiu um tratado, não se assinou um contrato, não se trocou um caracol. A própria presença de uma cabeça coroada nas solenidades do Centenário da Independência de uma colônia europeia na América — e uma colônia da Inglaterra! — dissipou-se com os séculos. E olhe que, como você vai ver, a visita de d. Pedro foi festejadíssima em seu tempo. Antes e durante, os jornais americanos não falaram de outra coisa.

Sim, há a conhecida história de que, entre todos os presentes à Exposição do Centenário, em Filadélfia, d. Pedro foi o primeiro a se interessar pelo invento que um jovem cientista de Boston, Alexander Graham Bell, estava tentando apresentar, até então sem sucesso. Um brinquedo que viria a se chamar telefone. Não fosse por isso, seria como se sua viagem não tivesse acontecido.

O relativo desinteresse dos historiadores brasileiros pela passagem de d. Pedro pelos Estados Unidos se explica também pelo fato de, por ter sido razoavelmente documentada, não haver sobrado muito para investigar. Essa documentação consiste na cobertura de um jornal, o *New York Herald*, cujo repórter James J. O'Kelly não apenas veio ao Rio com dois meses de antecedência para conhecer o imperador e apresentá-lo aos seus leitores como continuou por aqui, embarcou com ele para os Estados Unidos, seguiu-o por cada metro percorrido em território americano e produziu inúmeras reportagens a respeito para o jornal. O *Herald* dedicou-se a d. Pedro quase como se fosse sua exclusividade — o que, graças a O'Kelly, ele de fato era.

Sessenta e cinco anos depois, em 1941, um apanhado dessa cobertura saiu no livro *Amazon Throne*, uma alentada e simpática narrativa sobre o Brasil dos Bragança, da também americana Bertita Harding (no Brasil, *O trono do Amazonas*, 1944). Não é das apurações mais rigorosas historicamente, mas trata em detalhes da viagem de d. Pedro ao país. Baseado em Bertita e em O'Kelly, o embaixador brasileiro Argeu Guimarães retomou o assunto em seu livro *Dom Pedro II nos Estados Unidos*, de 1961, enriquecendo-o com generosas transcrições do diário que d. Pedro manteve na viagem e das cartas para sua filha, a princesa Isabel, no Rio, e para a condessa de Barral, em Paris — diário e cartas hoje preservados no Museu Imperial, em Petrópolis.

O livro de Argeu Guimarães caiu-me às mãos por acaso, nos anos 60, e li-o com grande interesse — nunca ouvira falar da viagem. Na mesma época, outra obra mencionou a excursão, ainda que de passagem: *ReVisão de Sousândrade* (1964), dos irmãos Augusto e Haroldo de Campos, sobre o então quase esquecido poeta romântico maranhense Joaquim de Sousa Andrade (1832-1902) — ou Sousândrade, como ele preferia ser chamado. O antimonarquista Sousândrade estava morando em Nova York quando o imperador passou por lá. E não perdeu a chance de zombar dessa viagem em várias estrofes da seção "O inferno de Wall Street", de seu longo poema *O Guesa*, transcrito na íntegra pelos Campos — que também citaram o livro de Argeu Guimarães. Tudo isso me pareceu formidável, mas, nas muitas décadas seguintes, não voltei a ler Sousândrade nem a me dedicar a d. Pedro.

Não se subestime, porém, o acaso. Num sábado de 2009, um passeio pela feira de antiguidades da praça XV, aqui no Rio, me rendeu uma descoberta. Numa das bancas, entre revistas velhas, livros rasgados e papéis desbotados, vislumbrei um caderno de anotações, de capa de couro preto, no estilo e do tamanho dos usados pelos antigos guarda-livros. Estava amarrado com um barbante sujo. Uma etiqueta amarelada, com filigranas art nouveau, me chamou a atenção. Trazia, em letras azul-turquesa, quase apagadas, o nome "J. de Souza Andrade".

Fiquei curioso. Se se tratasse de Joaquim de Souza Andrade, ou seja, Sousândrade — *o* Sousândrade —, era óbvio que o vendedor, na improvável hipótese de ter ouvido falar dele, não o conhecia pelo nome completo. Mais provável é que tivesse visto naquele caderno a contabilidade de uma padaria ou quitanda. Daí o preço que, quando lhe perguntei, ele me informou com certo enfado: cinco reais.

Não precisei desfazer o nó para abrir o caderno. Bastou forçar um pouco o barbante para entrever, no alto de uma página, uma referência a "O inferno de Wall Street". Não havia dúvida: era o homem — e eu tinha de comprar aquilo.

Não que fosse fã de Sousândrade. Sempre o achei mais interessante como personalidade do que como poeta, principalmente pela época, década de 70 do século XIX, em que se atrevia a escrever a sério coisas como:

— Antedilúvio 'plesiosauros'
Indústria nossa na Exposição...
= Oh Ponzas! que coxas!
Que trouxas!
De azul-vidro é o sol patagão!

Não vale rir. Trata-se de uma estrofe de "O inferno de Wall Street", um dos poemas mais *à clef* já escritos — mesmo que se descubra o significado de cada referência, o sentido do conjunto continua secreto.

E assim comprei o caderno, além de exemplares de revistas extintas, como uma *Carioca* de 1940, com Carmen Miranda na capa; um *Sport Ilustrado* de 1944, em homenagem ao craque Zizinho, do Flamengo; e um cartão-postal do Rio de 1910, esses, sim, caríssimos. O vendedor atirou tudo num saco azul de supermercado. Paguei-lhe em cheque e fui almoçar no Albamar, ali ao lado, sem pressa de voltar para casa e apreciar o que havia comprado.

Horas depois, no Leblon, ao desatar o barbante, descobri que adquirira algo ainda mais importante do que imaginara. O caderno de Sousândrade tinha uma profusão de furos de insetos e páginas roídas nas margens, talvez por ratos, mas nada que prejudicasse a leitura. Era um diário de Nova York, com anotações datadas de 1876. O poeta escrevia com uma letra inclinada, quase paralela à pauta. As entradas eram entremeadas com agressivas pregações republicanas, em português e inglês, talvez esboços de panfletos. Entre as páginas, uma quantidade de recortes colados com goma-arábica, o que fizera inchar o volume do caderno, referentes à visita de d. Pedro. Outros, de página inteira do *Herald*, anunciavam com alarde o circo Barnum & Bailey, cognominado "O maior espetáculo da Terra", e o novo Fifth Avenue Hotel, curiosamente ilustrados com a figura do imperador do Brasil.

Antes que você me pergunte: não, não é impossível que material desse valor seja encontrado em feiras de objetos e papéis velhos. Às vezes, o vendedor recebe um lote na noite da véspera e o bota na banca na manhã seguinte sem examiná-lo — talvez porque o fornecedor, quase sempre um catador de papel, nunca lhe tenha levado nada significativo. E mais ainda se for um caderno sem identificação, com manuscritos de difícil leitura. Bem diferente de publicações com imagens de Carmen Miranda, do Flamengo ou do Rio antigo, disputadas pelos compradores.

A trajetória desse caderno, de Nova York em 1876 ao Rio de 2009, com provável escala no Maranhão em fins do século XIX, só pode ter a ver com os deslocamentos do próprio Sousândrade. Depois de quatorze anos de exílio americano — morando na Crow Street, 23, em Manhattanville, um subúrbio quase na zona rural, a trinta quilômetros do centro de Manhattan —, ele só voltou para o Maranhão em 1885.

De novo em São Luís, teve vida ativa como escritor, poeta, professor e até político, sempre com intensa militância republicana — o que lhe valeu ter sido o primeiro prefeito de São Luís, nomeado logo depois da Proclamação da República, em 1889. Ficou no cargo até 1891 e, pelos dez anos seguintes, decaiu galopantemente.

Velho, abandonado por mulher e filhas, cheio de dívidas, tachado de louco, perseguido e apedrejado pelos meninos de rua, só lhe restou um emprego como professor de grego no Liceu Maranhense. Mal remunerado, os credores rugiam à sua porta. Quando morreu, em 1902, às vésperas dos setenta anos, tudo o que deixou — manuscritos, inéditos e anotações — foi vendido como papel de embrulho. Donde só há uma explicação para a sobrevivência do caderno: ele não estava com Sousândrade na época de sua morte.

Poderia estar com um de seus alunos ou com algum professor do liceu, que o teria conservado por afeto ao colega ou mesmo por esquecimento, mas isso é só uma conjetura. A saga desse caderno pelo século XX, da distante São Luís ao Rio, e sua ressurreição, mais de cem anos depois, numa feira de praça no Centro da cidade, são, pelo menos até agora, impossíveis de ser reconstituídas.

Hoje, um original manuscrito de Sousândrade seria disputado em qualquer leilão. É peça para milhares de reais, não para pouco mais que um chiclete, que foi quanto paguei por ele. Mas, para mim, é mais ainda sem preço, porque jogou luz sobre um episódio até agora apagado da história e que eu próprio nunca imaginara.

Um atentado contra a vida de d. Pedro II, em Nova York, em 1876.

Outro lote de documentos apareceu em fins de 2015, nos Estados Unidos, num leilão de papéis avulsos pela internet. Tratava-se de um envelope grosso, também amarrado com barbante, estofado de impressos e manuscritos, e identificado por um nome escrito com tinta azul e pena larga no papel pardo: James J. O'Kelly.

Meu amigo Leonel Brayner, artista plástico carioca radicado desde 1980 na Bahia e ardente estudioso de d. Pedro II, viu por acaso no eBay a oferta desse material. Identificou logo o nome de O'Kelly — conhecia-o como "o repórter de d. Pedro II". Meio de brincadeira, digitou seu nome e número do cartão de crédito e arriscou o lance mínimo. Para sua surpresa, este foi aceito e, pela quantia de cem dólares, Leonel entrou na posse de um vasto material. Quando o recebeu pelo correio, mal acreditou. Consistia de recortes do jornal *New York Herald* sobre a viagem de d. Pedro, cópias de cabogramas particulares de O'Kelly para o jornal, sua correspondência com a noiva que ele deixara em Nova York e longos textos à mão em tiras de papel — cópias de cartas em português e seu resumo em inglês nas margens, com uma letra diferente.

Assim que começou a ler o material, Leonel me telefonou, excitado. Ele era das poucas pessoas a quem eu contara a história do caderno de Sousândrade. Os textos copiados por O'Kelly, com descrições detalhadas da conspiração contra d. Pedro, fechavam agora a equação.

Em meados daquele ano, Leonel enviou-me a papelada e me autorizou a fazer o que quisesse com ela. Quanto a isso, nunca foi tão fácil tomar uma decisão. A soma do material — os cadernos de Sousândrade, as cartas e o diário de d. Pedro, o livro de Argeu Guimarães (de cujas transcrições me vali em diversas ocasiões) e, agora, os recortes, cartas, cabogramas e artigos de O'Kelly — tornava evidente a inevitabilidade do livro que você tem em mãos.

* * *

As informações tinham me caído ao colo como se trazidas por um fabuloso serviço de correio — um correio do passado. Eu só teria de organizá-las e escrever.

O que pede alguma explicação. Este livro é composto da transcrição de trechos originais de autoria das pessoas envolvidas no episódio. Minha função foi selecionar, traduzir e costurar esse material, dando o devido crédito a quem era de direito. É uma história contada por seus personagens.

A exceção são os poucos textos assinados pelo Narrador — eu próprio —, para preencher lacunas e fazer a história andar. Sua intromissão na narrativa só se justifica pela carência, às vezes, das fontes primárias. Para compor esses textos, usei informações colhidas em outras fontes, como a vasta bibliografia sobre d. Pedro, o Rio do Segundo Reinado e a Nova York de 1876, em bibliotecas, museus e fundações. São os únicos trechos com certo travo "literário", e, se o leitor o achar excessivo, atribua-o ao estilo literário daquela época — a época de Macedo, Alencar e do jovem Machado.

A favor da veracidade dos acontecimentos aqui narrados, lembro que nenhum dos protagonistas deste livro trabalhava com ficção. James O'Kelly já era um típico repórter americano, escravo da objetividade e da informação; Sousândrade era um poeta e ensaísta excêntrico; e d. Pedro, apesar de fumaças literárias, nunca se aventurou a escrever mais do que cartas, diários e versos de ocasião. Donde aceito tranquilamente como fatos os relatos que lhes tomei de empréstimo.

Apesar da autoridade dos documentos e da seriedade da pesquisa, o tom de romance do livro evoca uma questão presente em recentes congressos literários de que tenho participado: a do "romance de não ficção", do qual o americano *A sangue frio*, de Truman Capote, foi pioneiro, em 1966. No Brasil, esse subgênero foi promovido à categoria de arte por meu amigo e mestre Carlos Heitor Cony, com seu livro *Quase memória*, de 1995, e por Heloisa

Seixas, em 2014, com seu "quase romance" *O oitavo selo*, aliás dedicado a Cony. Tudo neles é ficção, exceto a história.

Como alguns leitores devem saber, normalmente trabalho com fatos, não com a imaginação. Se *Os perigos do imperador* encontrar um nicho nessa nova e híbrida categoria, terá cumprido seu papel.

R. C.

PRIMEIRA PARTE

1

OS CALORES DA IMPERATRIZ

[*Narrador*]

Os primeiros sinos da manhã ainda repicavam no Carmo quando um rumor escapou do Paço Imperial. Viajou no bico das gaivotas, tomou ares de verdade no centro da praça e, ao chegar aos fígaros, tabernas e tabacarias na calçada do Arco do Telles, já trazia foros de certeza. Penetrou pela Travessa do Comércio, passando de uma varanda a outra, e chegou ao principal palco da Corte: a rua do Ouvidor. De boca em boca, atravessou-a da praia do Mercado à praça da Constituição e, desta, ao Campo da Aclamação, derramando-se pelas transversais como um rio que despeja água por seus braços e pernas. Quando finalmente chegou às Câmaras, já não era um rumor, mas um fato: o imperador d. Pedro II iria de viagem para o estrangeiro.

A partir daquele dia, a Corte não conheceu outro assunto, contra ou a favor, que não fosse a viagem do imperador. Que já tinha até data marcada para zarpar: dali a dez meses, a 26 de março de 1876. Mas para onde? Para a Europa, claro, mas não imediatamente para Paris, Viena ou Madri, de cujos tronos, ocupados por seus primos, ele era íntimo. Do Rio, ele seguiria primeiro para os Estados Unidos — aquela petulante república do Norte, onde a civilização e a selvageria eram separadas por um fio de cabelo. Ou pelo couro cabeludo inteiro, no caso de o sujeito ter sido escalpelado pelos apaches.

No Desmarais, cabeleireiro e visagista das grandes damas da Corte, na rua do Ouvidor, madames Peixoto e Bouças competiam para ver quem armava o maior trepa-moleque na cabeça — um arranjo piramidal de cabelo sobre um pente espanhol de um palmo e meio —, enquanto, à roda delas, no salão, o disse me disse dirimia as últimas dúvidas. O Desmarais destronara o Aos Cabelos de Ouro como o centro dos mexericos elegantes no Rio.

Um lacaio chegado da rua dos Latoeiros contou que d. Ofélia, viscondessa de Cantagalo, encomendara a Paris grandes lotes de sedas, cambraias e tafetás, como se fosse refazer seus folhos e sobressaias — indício certo de uma próxima e longa viagem com seu marido, o visconde de Cantagalo. Ora, ninguém ali era inocente. O opaco Cantagalo não tinha o que fazer em lugar nenhum, exceto nas recepções do imperador, onde sua principal função era ocupar espaço. Donde, se ia viajar, isso só podia significar um deslocamento de Sua Majestade, que o levava para toda parte, à guisa de pé de coelho ou simples apêndice.

"Toda parte exceto quando Sua Majestade tem seus encontros secretos com Mariquinha Guedes ou com a viúva Navarro", riu-se a bem informada Negra Albuquerque, que os maledicentes descreviam como uma mulher dadivosa — e que, todos sabiam, não vacilaria se o imperador lhe voltasse as vistas.

"A viúva Navarro, quem não sabe? Mas Mariquinha Guedes, filha do marquês de Sapucaí, também anda às voltas com o imperador?", espantou-se a bela Chicá Nabuco. "Que adorável pirata!"

"Não diga que alguma coisa que aconteça na Corte consegue surpreendê-la, Chicá", retrucou Negra. "Como se não passassem por você todos os mexericos..."

"Pelo menos, minhas informações não partem da cavalariça, minha amiga", disparou Chicá, insinuando o boato corrente sobre um romance entre Negra e um jovem oficial do Exército, sobrinho do duque de Caxias.

"Sim, todos sabemos que as suas partem do boudoir...", devolveu Negra, aludindo à fama de Chicá entre os lençóis da aristocracia. Risos espocaram ao redor.

Enquanto eram pintadas, toucadas e penteadas, as maldosas

clientes do Desmarais, todas casadas, trocavam informações capazes de tisnar uma ou outra reputação, revelando grande intimidade com os negócios da Corte e visando consolidar a posição de seus maridos na nobiliarquia.

As escapadas ilícitas do imperador costumavam perturbá-las. Não que Negra, Chicá e as outras fossem defensoras da fidelidade imperial por lealdade à imperatriz, a querida Teresa Cristina. Ao contrário — gostavam tanto de d. Pedro que, se pudessem, elas é que estariam com ele nas alcovas, dispensando-lhe seus íntimos favores, cofiando-lhe a basta barba, afagando sua majestade sob as calças pretas e, aos sussurros, chamando-o de Pedroca.

E tinham seus motivos para isso. Aos cinquenta anos, muito alto e aprumado, ombros largos, olhos azuis — herança de sua linhagem habsburga por parte de mãe, a imperatriz Leopoldina, filha de Francisco da Áustria — e com o prata já se impondo sobre os fios louros do cabelo, o imperador era até bem-apessoado. Sê-lo-ia, quem sabe, até sem uma coroa na cabeça. Coroa esta que, na prática, ele já dispensara, trocando-a por um chapéu alto, republicano, mais condizente com a casaca e as calças pretas que adotara em lugar do manto, da estola de papo de tucano e dos calções com meias de seda que seus parentes ainda usavam na Europa. Em sua mente, d. Pedro praticava uma "monarquia à americana", sem beija-mãos nem desmesura de cortesias.

E não queria saber de bajulações. Desgostava-o, por exemplo, que o visconde de Cantagalo, seu mais antigo amigo, lhe fosse tão babadamente obsequioso.

"Que horas são, Cantagalo?", o imperador perguntava.

E Cantagalo, tirando o relógio da algibeira e fingindo consultar o mostrador:

"As que Vossa Majestade quiser."

Bolas, não era isso que o imperador queria ouvir. Quando perguntava pelas horas — monarcas não usavam relógios —, era porque queria sabê-las, e com precisão de minutos.

"Componha-se, Cantagalo", ordenava d. Pedro. "Quero horas, não vênias!"

Ao mesmo tempo, vaidoso como era, d. Pedro não percebia que, quando dirigia questões técnicas a seus titulares nas reuniões do Conselho de Ministros — como, por exemplo, qual era o número de surdos na população brasileira, o volume em litros da nossa produção de carambola ou quanto o Brasil produzia anualmente de ventoinhas —, eles mal esperavam a pergunta terminar. Respondiam-lhe na pinta, porque sabiam que Sua Majestade os queria alertas, na ponta dos pés, embora a resposta fosse às vezes inventada naquele momento.

Os ministros só se espantavam quando d. Pedro fazia que sim com a cabeça e dizia:

"Já sei, já sei. Confere com os dados de que disponho."

Mas como podiam conferir se as respostas tinham acabado de ser inventadas?...

O imperador seria ainda mais imponente se sua voz fosse grave e retumbante para fazer jus ao corpanzil. Mas era fina, frágil, cantante, o que, combinando com os olhos cor de água-marinha, lhe dava ares quase infantis, como os de um bebê gigante. Os pés, sim, é que eram até maiores do que o corpo exigia, e dizia-se que ninguém ocupava tanto espaço em solo pátrio quanto ele. Cada passo seu, sempre apressado, no ritmo que o Exército francês chamava de marche-marche, atravessava quase dois metros do território nacional, e ainda bem que o Brasil era tão grande. Andava como quem teme perder o tílburi — como se todos os tílburis, seges e gôndolas do Brasil não tivessem de esperar por ele.

Suas mãos também eram enormes, obrigando-o a fazer luvas sob medida. Os monarcas costumam ter uma verba especial para luvas, e d. Pedro, que poderia encomendá-las aos luveiros do ateliê Leblanc & Lamoureux, de Paris, preferia prestigiar um certo monsieur Boyer, também luveiro e também francês, mas humilde, com oficina no Catumbi. À qual o imperador ia pessoalmente para provas, quando o normal seria que o luveiro fosse a palácio tirar-lhe as medidas.

Por causa disso, falava-se que o Catumbi era cenário de um affaire do imperador com Maria João Navarro, a cobiçada viúva Navarro — mulher de infecciosa beleza, olhos cor de limonada, pele branca e cascatas de cachos negros descendo-lhe pelos seios de veias azuis que lhe saltavam do vestido. Naturalmente, d. Pedro não iria comprometê-la apeando da carruagem real à sua porta. Por isso dirigia-se primeiro ao luveiro Boyer, cuja casa, colada à da viúva — e da qual o artesão se ausentava por um par de horas —, servia de ninho para os amantes.

No mesmo Catumbi, a apenas um quarteirão, morava também o rico português Abelhinha, importador de azeitona, antigo pretendente da viúva e que, ao se ver rejeitado por causa do imperador, se infligira uma navalhada no pescoço. Não morreu porque foi socorrido a tempo, mas teria despertado a compaixão — ou culpa — de d. Pedro, que às vezes o visitava depois do colóquio com a viúva. O monarca evitava apenas olhar para a cicatriz que o homem exibia de orelha a orelha. Abelhinha poderia poupar o imperador desse constrangimento, cobrindo o pescoço com um colarinho alto, cachecol ou echarpe. Mas, não. Apesar de propriamente vestido para receber a visita, seu colarinho parecia até mais baixo do que o normal, realçando a grosseira cicatriz de quase um palmo com pontos em X — como se quisesse expor para o rival a marca de seu infortúnio, puni-lo por ter-lhe roubado a mulher. Mesmo suspeitando disso, d. Pedro continuava a visitá-lo. E, sempre que voltava do Catumbi, trazia novos pares de luvas, de gala ou de montaria, como se precisasse justificar a viagem.

Da mesma forma, ninguém se esquecera de um lote de cartas íntimas do imperador que circularam por algumas horas em certos ambientes da Corte, antes de ser recolhidas e destruídas. Eram endereçadas a Ana de Villeneuve, mulher de Julio de Villeneuve, dono do *Jornal do Comércio*, e algumas diziam "Que loucuras cometemos ontem na cama de dois travesseiros", "Como poderei esquecer esses pelos tão doces?", "Nunca pensei sorvê-la em tão recôndita intimidade" e frases que tais. Suspeitou-se que tivessem sido vazadas pela própria Ana, uma paulista insinuante, com objetivos nunca bem esclarecidos.

Tudo era motivo de intriga entre os leques de plumas ou de varetas que funcionavam como biombos para os fuxicos no Desmarais. O cabeleireiro, se quisesse, poderia proibir a indiscrição em seus salões, mas o que ganharia com isso? A alcovitice fazia-lhe bem aos negócios, porque atraía clientes interessadas em escalar os degraus da Corte. E quem não gostava de saber, enquanto se submetia aos pentes e às tesouras, que Sua Majestade andava muito assíduo nos ensaios do coro na catedral? E que, com frequência, podia ser visto de pé, junto às sopranos, virando solicitamente as páginas da música para a bela Mercedes, sobrinha do marquês de Abrantes?

No fim da manhã, quando se confirmou que os imperantes iam mesmo a uma longa viagem, os comentários fizeram ferver ainda mais o Desmarais.

"Parece que a imperatriz está outra vez com os calores", murmurou, não sem um flauteio na voz, Negra Albuquerque. Referia-se à viagem anterior do imperador à Europa, quatro anos antes, planejada oficialmente para abrandar as quenturas de Teresa Cristina com os serviços do dr. Jean-Martin Charcot, especialista no tratamento das doenças nervosas.

"Mas, já passada dos cinquenta, a imperatriz ainda está a arder?", perguntou a ignorante baronesa de Jaboticabal, cujo marido, atacadista de esterco nas províncias, acabara de ser agraciado com o título de barão, e só então esse casal, ainda deixando no ar um *soupçon* de estrume por onde passasse, fazia sua entrada na vida da Corte.

"Não, aquelas chamas há muito se apagaram, se é que um dia chegaram a queimar", explicou Negra. "São outros calores, que vêm do âmago da mulher e não produzem fumaça, só cólicas e suadouros. As verdadeiras brasas, o imperador parece estar encontrando em Mariquita Guedes. Já repararam na indecência com que se entregam à valsa nos salões? Ainda se fosse à mazurca... E diz-se que, todos os dias, trocam cartas e poemas por estafetas..."

"E eu pensava que era só uma deferência de Sua Majestade para com o pai dela, o visconde de Maranguape", exclamou Chicá. "Afinal, Mariquita acaba de deixar os cueiros, deve ter pouco mais de vinte anos!"

"Por isso mesmo", sentenciou a formosa mas trintona Negra, com uma ponta de rancor. "À medida que envelhecem, eles as querem mais novas, com um brilho de rapariga nos olhos, o rouge natural das faces e ainda com todos os dentes. E elas se deixam cair por aquelas barbas grisalhas."

"Mas não dizem que a eterna paixão do imperador é pela condessa de Barral?", intrometeu-se de novo a Jaboticabal.

"Os oceanos também são eternos", respondeu Negra, "mas o que impede um homem de navegar pelos arroios? A Barral, por sua vez, também já passou há muito dos cinquenta — é quase da idade do Atlântico. Há muitos anos, quando foi contratada como tutora das princesas, era formosíssima. Justificava-se que o imperador assistisse às aulas e trançassem os pés por baixo da mesa... E, desde então, pode-se dizer que, por trás da relação que os uniu, ela impera sobre ele até hoje com grande autoridade. Mas, quando quer atirar-se às águas, Sua Majestade prefere agora regatos mais frescos..."

"De que a condessa, do alto de seus aposentos, é informada e reage com grande condescendência", comentou Chicá. "Como se o imperador fosse um moleque travesso, um beldroegas, sujeito apenas a uns puxões de orelhas..."

Recém-chegada das grotas, a baronesa de Jaboticabal maravilhava-se com o à vontade com que no Rio se falava das particularidades do imperador. E como aquelas mulheres podiam saber de coisas tão íntimas? Os fastos de palácio se desnudavam para elas, que, ao comentá-los, nem cuidavam de abaixar o tom de voz, como se a vida dos imperantes a todos pertencesse.

A baronesa se perguntava se um dia seria assim também, tão impudente e debochada. Para isso, teria de passar a frequentar os altos salões da Corte, como o da marquesa de São Vicente, na Gávea, onde se degustavam trufas e patês, em que as senhoras se vestiam com toaletes de Paris e os saraus iam até as cinco da manhã. (Mas, hélas, a baronesa já estava havia seis meses na Corte e ainda não fora convidada.)

"Bem, se as febres da imperatriz são o motivo para esta viagem, é bom que d. Pedro não lhe imponha uma maratona de deslocamentos", maliciou Chicá. "Com seu andar vacilante, Teresa Cristina já não consegue acompanhar o imperador sequer entre um salão e outro."

"É verdade", confirmou Negra. "Mesmo em jovem, sua perna direita parecia um passo e meio atrasada em relação à esquerda. Agora, com a idade, o defeito se agravou e, nos passeios, Teresa Cristina vive sendo deixada para trás por d. Pedro. Quando ele lhe dá pela falta, lá vem ela a cinco metros, coxeando, amparada pela dama de honor."

"Menos mau para a imperatriz que os Cantagalo irão com eles — que, pelo menos para isso, servem", suspirou Chicá. "Mas quem mais fará parte da comitiva oficial? Pelo que sei, as cidades dos Estados Unidos são impossíveis. Os búfalos vêm beber água aos quintais e os coiotes andam soltos pelas ruas. Os norte-americanos não tiram as esporas nem para dormir, enforcam-se uns aos outros e, quando não gostam do governante, simplesmente o matam!"

2

BARBAS ERIÇADAS
[*Narrador*]

D. Pedro subiu os degraus que levavam ao segundo andar do Paço Imperial, onde ficava o Instituto Histórico e Geográfico. Era o fundador, patrono e presidente de honra do instituto e, para prestigiá-lo, instalara-o a um lance de escadas de sua sala. Suas botas de sola de madeira rangiam contra o chão de mármore a cada degrau. Aquele minueto de rangidos o incomodava, e às vezes d. Pedro trocava de pé para disfarçá-los, mas as botas não se deixavam enganar e rangiam de acordo. Como eram mais de trinta degraus, os membros do instituto percebiam quando ele estava chegando e saltavam de suas cátedras para recebê-lo. D. Pedro dirigia-se a eles à civil, cumprimentando-os pelo nome um a um, como autoridades que eram em seus assuntos, e ele, com falsa modéstia, um aprendiz, um estudioso do Brasil. E não escondia sua satisfação quando, sem perderem o respeito, o tratavam como um dos seus, pedindo sua opinião sobre alguma querela do passado e se apurando para ouvi-lo, como a um historiador de verdade.

As perguntas que lhe faziam quase sempre se referiam a algum episódio da Guerra do Paraguai. De preferência, o do dia 1º de outubro de 1865, quando o imperador, em uniforme militar confeccionado pelo Armand, principal alfaiate da Corte, chegara a Uruguaiana, no Rio Grande do Sul, ao som de bombos e taróis. Viajara até lá para receber a rendição de um eminente militar paraguaio, o comandante Antonio Estigarribia, derrotado em combate — e bem feito, porque quem o mandara tentar invadir o Brasil por ali? A cena deve ter sido emocionante: Estigarribia, braço direito do ditador Solano López, entregando sua espada ao oficial designado por d. Pedro para recebê-la, o barão de Porto Alegre, cognominado "O Centauro de Luvas". Espada essa que, ainda manchada de sangue brasileiro — nunca seria lavada —, fora repassada a d. Pedro e descansava agora numa parede do Palácio de São Cristóvão, ao lado dos punhais, revólveres e demais troféus de guerra que tinham pertencido aos generais vencidos pelo imperador.

Os membros do instituto arfavam de excitação. Era eletrizante saber que, entre eles, havia um protagonista da história sobre a qual se debruçavam como peritos. E, embora a maioria ali fosse de historiadores, geógrafos e diplomatas, havia também lentes de outras disciplinas, como matemáticos, astrônomos e até um velho naturalista que, absorto na sua especialidade, às vezes não percebia que levava para a reunião seus objetos de estudo, como uma borboleta pousada no ombro ou uma lagartixa passeando por seu casaco.

"Os conselheiros queriam impedir minha viagem a Uruguaiana", contou d. Pedro. "Achavam que não cabia ao imperador pisar num campo de batalha. Mas eu lhes respondi que, se não pudesse ir a Uruguaiana como imperador, iria como um Voluntário da Pátria."

Os membros do instituto ouviam isso encantados. E d. Pedro, mais ainda encantado de dizê-lo. Sabia que as perguntas deles eram só um pretexto para que ele lhes narrasse suas façanhas no teatro de guerra. Mas nada lhe agradava tanto — servia-lhe para abafar as glórias militares de que seu genro, o conde d'Eu, vivia se gabando.

Esse ritual se repetia sexta-feira sim, sexta-feira não, quando se davam as reuniões do instituto. Embora o assunto não variasse, a conversa nunca era a mesma, porque d. Pedro a enriquecia com algum detalhe pessoal, nem que fosse sobre a rivalidade entre os generais aliados, os argentinos Urquiza e Bartolomeu Mitre e o uruguaio Venancio Flores, cada qual com a farda mais vergada de medalhas, insígnias e condecorações. Quando ele terminava sua explanação — da qual o Brasil sempre saía como uma potência benigna, capaz de botar na linha nossos estouvados vizinhos —, não faltava o repique de um dos membros do instituto:

"E quando faremos o mesmo com a Confederação Argentina, Majestade?", provocava o historiador e diplomata Araújo Porto-Alegre, ciente de que nada agradaria mais ao imperador do que entrar em triunfo pelo rio da Prata, de pé, na ponte de comando de um navio, e se instalar naquela casa rosada em Buenos Aires, mesmo que fosse para devolvê-la aos platinos depois de alguns dias.

Finalmente, depois do habitual solfejo de expectorações por parte dos membros, d. Pedro sentou-se à bancada central para presidir mais uma sessão. Abrindo as dissertações, o cartógrafo Bonfim começou a discorrer sobre a alarmante febre expansionista dos

Estados Unidos. Nos últimos anos, os norte-americanos tinham tomado ao México o Texas e a Califórnia e comprado a Louisiana à França, a Flórida à Espanha e até o Alasca ao Império Russo. "E se nos fizerem uma oferta irrecusável pelo Guaporé?", ele perguntou.

Foi quando o imperador, como que distraído, deixou escapar:

"Não tema, dr. Bonfim. Não estamos à venda, e os norte-americanos sabem disso. Aliás, pretendo visitá-los no ano que vem."

Barbas se eriçaram diante da notícia. Um monóculo foi ao chão. E um geólogo, talvez de susto, soltou um flato. Sentindo o frisson no ar, o historiador Bulhões adiantou-se:

"O Instituto Histórico e Geográfico apoia com entusiasmo a ideia, Majestade. Mas, do ponto de vista político, será conveniente a um monarca visitar uma república?"

"Os republicanos, que infelizmente os temos no Brasil, não verão nisso um sinal de fraqueza da monarquia?", emendou outro historiador, o veteraníssimo Ataliba, quase contemporâneo do padre Perereca.

D. Pedro correu as vistas pela sala:

"Por que a visita do imperador a uma república seria um sinal de fraqueza, senhores?", perguntou. "Não seria, ao contrário, uma demonstração de superioridade? Além disso, na condição de única monarquia das Américas, já vivemos cercados por essas repúblicas hispânicas, e elas não nos fazem nem cócegas."

"Vossa Majestade não teme que os nossos republicanos aproveitem a oportunidade para fazer comparações entre o Brasil e os Estados Unidos em matéria de evolução e progresso?", insistiu Bulhões.

"Pelo que ouço de meus ministros, prof. Bulhões, não temos por que invejar os Estados Unidos", disse d. Pedro. "Ao contrário, acho que os norte-americanos poderiam aprender uma coisa ou outra com as nossas instituições..."

"De fato, Majestade!", ejaculou o geógrafo Azevedo, sempre disposto a agradar. "Entre nós, seria inconcebível uma guerra civil como eles tiveram há pouco, que dividiu o país, jogou irmãos contra irmãos e deixou 600 mil mortos."

"E que, para piorar, terminou com a vitória do lado errado...", palpitou de novo o senil Ataliba, esquecido de que, durante o conflito, o abolicionista d. Pedro torcera sem reservas pelos enfim vitoriosos nortistas.

"Quando uma guerra chega ao fim, prof. Ataliba, não há vencedores nem vencidos", filosofou o imperador. "Veja a nossa longa campanha contra o Paraguai. Restaram-nos 50 mil mortos a enterrar, uma dívida em milhões de libras para com os ingleses e a vida a reconstruir."

Fez uma pausa para que a frase ressoasse pelas paredes de pedra, escuras e úmidas, do instituto. E, ao espiar com o rabo do olho, gostou de ver que o romancista Joaquim Manuel de Macedo, autor de *A moreninha* e também membro da instituição, tirara um caderninho do bolso do casaco, lambera a ponta do lápis e estava anotando algo para a eternidade — sem dúvida, a sua frase.

3

DIÁRIO DE SUA MAJESTADE, O IMPERADOR D. PEDRO II

[*Arquivo do Museu Imperial*]

Rio, 31 de maio de 1875. A Corte está em pulgas desde que, há alguns dias, num instante em que sem querer me despistei, deixei escapar minha intenção de viajar no ano vindouro aos Estados Unidos para as comemorações do Centenário da Independência daquele país.

Como se atacados de comichão, os mestres do Instituto Histórico e Geográfico, em cuja reunião cometi a inconfidência, se excitaram e, com falsa casualidade, puseram-se a despejar erudição sobre a América do Norte. É natural — muitos gostariam de fazer parte da comitiva imperial.

Em poucos minutos, por indiscrição de um deles, a informação já estava nas calçadas da Ouvidor, onde tudo se transforma em avalanche, e na boca das clientes do Desmarais, que, sob o pretexto de cuidar de seus coques e tranças, não fazem mais que escarafunchar as intimidades da nobreza.

O correto teria sido que, ao me decidir intimamente pela viagem, Eu [*pronome em maiúscula no original*] submetesse a moção às Câmaras, pedindo licença para me ausentar do país. Eles a teriam concedido num átimo. Mas, pelo fato de a notícia ter vindo das ruas, alguns senadores simularam hesitar, alegando a inconveniência de minha ausência da Corte neste momento em que se votam leis referentes à emancipação gradual do elemento servil. Fiz-lhes ver que essa ausência deixaria o Parlamento mais à vontade para votar — e que, de qualquer maneira, estarei presente na pessoa de minha filha, a princesa Isabel, que deixarei como regente.

Há também a questão da dotação para a viagem. Como é do meu feitio, abrirei mão dos luxos e prerrogativas oficiais no estrangeiro e pagarei as despesas do meu bolso. Mas não faltará nos jornais quem mencione o estado das finanças do Império, ainda alquebradas pelos empréstimos que tomei aos ingleses para a Guerra do Paraguai.

A excursão levará cerca de ano e meio, já que, dos Estados Unidos, pretendo voltar à Europa, onde estive há quatro anos, e me estender à Ásia Menor, ao Egito e à Palestina. Acho que a viagem fará bem à imperatriz, no sentido de aplacar-lhe as aflições. Esse período será também importante para que Isabel se acostume ao trono que, espero, um dia ocupará.

Este, aliás, é o único problema. Isabel deveria aproveitar minhas viagens para familiarizar-se com a intimidade do poder. O povo lhe tem estima e aceitará seus decretos e proposições — desde que partam dela. Infelizmente, tendem a ver em seus atos a influência de seu marido, a quem não apreciam. E não pelo fato de o conde d'Eu ser estrangeiro, mas pelo que veem de ganância no seu comportamento. Não acreditam no seu heroísmo na Guerra do Paraguai e fazem chiste com seu peito cheio de medalhas por batalhas de que nem perto passou. Mas o que posso fazer? Foi o marido que Isabel escolheu.

Quanto às Câmaras, não havia por que me preocupar. Após breve simulação, elas me concederam a licença e, ato contínuo, seus membros entraram a competir entre si, como cães por uma perna de vaca. Todos buscam uma vaga na excursão. Até os que me fazem oposição se ofereceram!

É pobre o espírito humano. E o espetáculo que se vê nos salões a que compareci esta semana foi quase grotesco. Alguns só faltam insinuar que, sem sua presença na comitiva, minha viagem não terá valor.

Ah, como às vezes me arrependo de ter criado tantos condes, viscondes e barões de marmelada para compor nossa nobreza. A maioria ostenta seus títulos com tal falta de jeito que me dá ganas de devolvê-los à extração rural de onde os icei. Esperava que, na Corte, se livrassem da craca de origem e ganhassem algum polimento. Mas, em vão. Cobrar refinamento do barão de Jaboticabal, por exemplo, seria como exigir do sol que nascesse às três da tarde.

Por que não são todos como [*Francisco*] Otaviano ou [*Joaquim*] Nabuco, a quem ofereci títulos e eles recusaram porque, embora não o dissessem, não queriam ser comparados a alguns de meus nobres?

Se tenho errado, é sem querer. Pelo menos, congratulo-me com o fato de que, embora tenha feito barões de roceiros do café, nunca me rebaixei a fazer o mesmo com os traficantes de escravos.

Com a moção aprovada, resta-me agora preparar o roteiro da viagem, compor a lista de meus convidados e preparar a partida para Nova York no ano que vem.

4

NAS GARRAS DE *A MATRACA*

[*Narrador*]

Naquele dia, bem cedo, horas antes que os rumores sobre a viagem de d. Pedro chegassem às ruas, um estafeta subiu ao segundo andar de um sobrado na rua do Catete e passou um envelope por baixo da porta. Deoclecio de Freitas, o morador, ouviu o ruído do lacre deslizando sobre o pinho do assoalho. De camisolão e pantufas, interrompeu seu desjejum e foi apanhar o envelope. Este não trazia remetente, mas ele sabia quem o mandara. Quebrou o lacre, tirou a mensagem e soube antes de todo mundo que o imperador ia de viagem para a América dali a um ano.

Não vacilou. Afastou o bule, a leiteira e a xícara, tomou um papel cinza, de embrulhar pão, o único que tinha à mão, e escreveu ali mesmo um editorial para seu jornal, o vespertino *A Matraca*. Sua pena provocava guinchos ao correr sobre o papel, como se aqueles sons excruciantes fossem emitidos pelas próprias palavras:

"Que o imperador não espere um ano para viajar. Que parta logo para os Estados Unidos ou para o raio que o parta. Sua ausência do solo pátrio fará com que os brasileiros assumam suas responsabilidades e tirem o país da letargia e do atraso a que foi condenado pelo inepto, decrépito e paquidérmico monarca. E, já que conhecerá os ianques, que use seu tempo para aprender com eles a pelo menos mandar recolher o lixo das ruas, limpar as praias e debelar a febre amarela. Que observe como as ferrovias americanas cortam o país ao meio e unem seus dois litorais, mesmo tendo de enfrentar desertos, montanhas e até tribos em pé de guerra. E que, em sua visita ao Capitólio, o monarca evite tropeçar nas próprias barbas e se inspire no dinamismo dos norte-americanos para [...]." Seguiam-se mais quarenta e cinco linhas de ataques, agravos, achaques, ofensas e insultos contra o imperador.

Deoclecio de Freitas era o proprietário, diretor-gerente e redator-chefe de *A Matraca*, um dos muitos jornais da Corte de índole republicana que faziam violenta oposição a d. Pedro. Era também editorialista, repórter, crítico literário, caricaturista, revisor, gráfico, plantonista, cobrador de faturas vencidas e leão de chácara do periódico. Na verdade, a única coisa que Deoclecio ainda não tinha feito em seu jornal fora morder um cachorro para provocar uma notícia.

Quando acabou de escrever, levantou-se, alçou a testa como se em um púlpito e leu seu artigo em voz alta, para certificar-se de que a afronta ao imperador estava candente bastante para honrar a fama de seu pasquim. Satisfeito com o que ouviu da própria boca — era seu editorial de primeira página —, vestiu as calças e o casaco preto e saiu correndo para tomar o bonde que o levaria à praça da Constituição, onde ficava sua redação. E decidiu que, em lá chegando, nem esperaria pelo tipógrafo. Sentar-se-ia diante da gaveta de tipos, comporia ele mesmo o artigo e o levaria à prensa, tomando cuidado para não prender o dedo no rolo de tinta. Queria vê-lo nas ruas, gritado pelos pequenos jornaleiros, antes do fim da manhã. Assim era *A Matraca*, tabloide trissemanal de escândalos, com oito páginas e dez mil exemplares de tiragem, a quarenta réis cada.

Deoclecio de Freitas era uma das figuras mais notórias da Corte. Faltava-lhe um braço, o esquerdo, vítima de um acidente na oficina. Certa noite em que imprimia o jornal, empolgado com sua manchete de primeira página — IMPERADOR COCHILA DE BOCA ABERTA E ENGOLE MOSCA —, distraiu-se e deixou que uma roda dentada levasse seu braço e o moesse como a um rolo de cana. Antes de desmaiar, Deoclecio conseguira parar a máquina com o outro braço. Mas a edição teve de ser inutilizada porque litros de seu sangue inundaram os intestinos da impressora, encharcando os exemplares já impressos e a pilha de papel por imprimir.

O jornalista levou meses para voltar a trabalhar e, dia após dia, amaldiçoou o homem que, sem saber, o aleijara. O que mais o amargurava é que, com um braço só, não podia mais dar bananas para d. Pedro ao vê-lo na janela do Paço.

Deoclecio, baixinho, magro e moreno, tinha cerca de cinquenta anos, mas, por seu jeito sombrio e suas vestes fúnebres, aparentava mais — pelo aspecto, deveria ser papa-defuntos, não jornalista. Seus olhos pretos, grandes e redondos, o nariz adunco e os anéis de cabelo lembravam alguém que todos achavam familiar, mas ninguém conseguia identificar. Os mais velhos o olhavam intrigados e se perguntavam onde já tinham visto aqueles traços.

E só não o olhavam mais porque, mesmo antes do acidente, Deoclecio já parecia de relações cortadas com o mundo. Tinha péssimos bofes, vivia de cara amarrada e não dizia bom-dia a ninguém. Mas detinha o poder do trovão — seu jornal era assustador. Não por ser o mais influente, que era o *Jornal do Comércio*, nem o mais afluente, que era o governista *Diário do Rio de Janeiro*, mas o mais escandaloso.

Tão escandaloso que, por mais que os leitores evitassem ser flagrados folheando-o em público, sua tiragem logo se esgotava. Ninguém deixava de lê-lo, nem que fosse para se certificar de que seu nome não saíra nele, ligado a alguma falcatrua que tivesse praticado. Ao verem um jornaleiro na rua, senhores de bigodes e suíças faziam-lhe um sinal e o garoto ia levar-lhes o jornal nos fundos de um prédio ou no ermo de um beco. Dali, esses senhores o dobravam em quatro, enfiavam no bolso e o levavam para ler em casa — onde só então, ao se verem poupados da verrina de Deoclecio, respiravam e podiam saborear as acusações contra os outros.

O que *A Matraca* tinha de tão repulsivo? Afinal, não era o único pasquim do mercado. Havia *O Tagarela*, de Chico Rêgo, *A Carapuça*, de Humberto Luiz, *A Gargalhada*, de Joaquim Felicio, *A Charada*, de Leonel Fontoura, *O Corisco*, de Euclides Rocha, *A Perereca*, de Silvio de Abreu, e *O Juízo*, de Augusto Ferreira, além de *O Diabrete*, *O Pimpão*, *O Torniquete*, *O Mequetrefe* e vários outros, todos igualmente infectos, apesar dos nomes cômicos. A matéria-prima desses jornais nem sempre era a notícia, mas o que se fazia dela. A tática consistia em insinuar que certo figurão da política ou dos negócios, descrito de forma a não deixar dúvida, teria uma grossa bandalheira denunciada numa das próximas edições — "a não ser que...". E nem era preciso completar as reticências porque, no próprio expediente dos pasquins, lia-se: "Entra-se em entendimentos com as partes ofendidas".

Tal indústria da chantagem se beneficiava da liberdade de imprensa no Segundo Reinado, garantida por d. Pedro II. Um jornal podia ser fundado em vinte e quatro horas, desde que alguém o escrevesse. Não faltavam tipografias para imprimi-lo — havia uma em cada esquina —, e, uma vez impresso, contratavam-se os garotos para apregoá-lo na rua. Escrevia-se o que se quisesse, contra quem quer que fosse, e trocava-se o silêncio por dinheiro. Era o império do achaque, que só não se consumava quando, ao se ver atacado, o cidadão usava outro jornal para se defender, envolvendo o desafeto ou um terceiro na denúncia, e, com isso, neutralizava-se a acusação.

Como se não bastasse, os pasquins eram, por conveniência, republicanos e competiam pelo editorial mais deprimente contra a monarquia. Uma única cláusula da Constituição que se poderia vagamente interpretar como censura era a que considerava sagrada a figura do imperador. Mas nem essa era respeitada. Os articulistas referiam-se a d. Pedro como o "Rei Caju" (por causa da cabeça que tinha o formato da castanha do fruto), zombavam de sua vaidade literária e riam de suas gafes. A *Revista Ilustrada*, recém-criada pelo caricaturista Angelo Agostini, mostrava-o nas situações mais ridículas, dormindo nas audiências, escorregando do trono, palitando os dentes.

Era tanta liberdade que o próprio Deoclecio de Freitas já se queixara num editorial: "De que adianta a licença que Sua Majestade nos dá para espernear, bradar aos céus e publicar qualquer coisa contra ele — se nada se altera, se o país não se mexe? Para que serve esta asfixiante liberdade de imprensa se ele não se ofende?".

A Matraca se dedicava a todas estas práticas: republicanismo, chantagem e virulência, na ordem em que viessem. O que o diferenciava dos outros pasquins era a pena de Deoclecio e sua capacidade de saber o que se passava em palácio — como se tivesse um informante escondido atrás do trono. O que ele tinha, e um em cada paço, o do Carmo e o de São Cristóvão.

Talvez por isso, seu principal leitor fosse o homem que ele mais combatia: justamente o imperador.

5

ENTRE ROLOS DE FUMO

[*Narrador*]

As paredes da biblioteca recendiam a tabaco, licores e malícia. Ali, na mansão de Eponina e Francisco Otaviano, no Cosme Velho, reuniam-se com frequência os crânios da cidade — escritores, jornalistas, juristas, políticos, diplomatas. A embalá-los, uma suave orquestra de harpa, flauta e violino. Ao contrário das outras casas, era comum que, nela, as mulheres participassem das tertúlias. Naquela noite, no entanto, encerrado o jantar e entregues a opiar a musa com charutos vindos de Hamburgo, eles eram apenas homens que riam das próprias maldades.

"Pois não é que, em sua última viagem ao estrangeiro, Sua Majestade convenceu os sábios do Instituto de França de que também era um sábio?", observou, divertido, o dono da casa. "E as testas coroadas da Igreja de que era um fiel devoto da Santa Madre? E os maçons de que era maçom?"

"Claro! Pois não vive também dizendo aos abolicionistas que quer o fim da escravatura?", disparou um convidado, o filósofo Perdigão, também rindo. "E aos senhores de escravos que não fará nada para arruiná-los? E quem o supera na arte de se atribuir as coisas boas de seu governo e pôr a culpa nos ministros pelas más?"

"E quem, ao apontar um telescópio para o céu, não consegue descobrir nem a Lua, mas convenceu a Europa de que era astrônomo?", emendou um terceiro, o advogado Murtinho, provocando gargalhadas.

"Bem, talvez d. Pedro seja um pouco de tudo isso", ponderou Otaviano, com um tom de carinho na voz. "O fato é que, ainda mais facilmente, convencerá os democratas da América do Norte de que é um democrata."

Os rolos de fumo dos charutos pareceram pesar sobre o ambiente.

"O problema não está lá fora, mas aqui dentro", aparteou Perdigão, agora sério. "Pelo que sei, somando-se a digressão por Estados Unidos, Europa e Oriente, o imperador passará desta vez quase dois anos em viagem."

"Sim", concordou Otaviano. "Isabel será regente e, novamente, terá de lidar com questões de Estado para as quais não está preparada."

"Faltam alguns meses para a viagem", observou Murtinho. "Isabel poderia aproveitar esse tempo para ler um livro sobre o qual nunca sequer deitou os olhos — a Constituição do Brasil..."

"Ou um compêndio de história de autoria de qualquer leigo, para ficar sabendo que, em 1789, aconteceu a Revolução Francesa", acrescentou Perdigão. "Os que leu até hoje, escritos pelos padres, omitem essa informação. Imagine a surpresa de Isabel ao descobrir que a França, neste momento, é uma República — aliás, a Terceira! — e que sua prima, a condessa de Paris, deve estar vendendo as pérolas para não lhe faltar fiambre à mesa..." [*risos*].

"A beatice da princesa incomoda o próprio imperador", disse Otaviano. "Isabel só lê breviários, acredita em milagres e se confessa todos os dias. A qualquer pecado imaginário, corre a cumprir a penitência que seu confessor lhe impõe. Não faz muito, em Petrópolis, d. Pedro a viu, descalça e de joelhos, lavando a capela do Palácio Imperial. Afastou-se em silêncio para não vexá-la, mas queixou-se disso comigo."

"Na viagem anterior de d. Pedro, Isabel tinha Caxias na presidência do Conselho de Ministros. Era ele quem governava", disse Perdigão. "Caxias continua no cargo, mas envelheceu, já não é o mesmo homem. Imaginem quem se aproveitará disso para nomear nulidades, conceder títulos de visconde a quem mal sabe calçar uma luva e usar o 'por ordem de Sua Alteza, a princesa imperial' para desfalcar o Tesouro?"

"Seu ladino marido, claro", respondeu Murtinho. "Já não basta ao conde d'Eu o título de marechal de araque do Exército brasileiro, com todos os soldos e mordomias. Ganhou concessões de terrenos da Marinha, engenhos e vias férreas em nome de terceiros e insiste em praticar atos indignos de sua posição, como jogar na loteria, comprar e vender capim, construir cortiços para alugar e explorar a pedreira nos fundos do Palácio Isabel. Com toda a sua pompa de Orléans, não dá um passo sem fechar negócios. Na viagem que ele e Isabel fizeram à Europa, teve a lata de sublocar o palácio do casal em Petrópolis para um importador de embutidos de porco, com os móveis, alfaias e tudo!"

"De fato", acrescentou Otaviano. "D. Pedro revoltou-se ao saber que um vendedor de chouriços havia dormido na cama onde a princesa imperial dera à luz seu neto, o futuro imperador do Brasil."

"A indignação é justa, mas não há garantia de que o principezinho chegue um dia à Coroa", refletiu Perdigão. "Não acredito que teremos um d. Pedro III."

"Pois saiba de uma coisa, caro Perdigão", completou Otaviano. "Sua Majestade também não acredita."

Tais juízos, não necessariamente de crítica, mas de terna ironia, eram comuns no salão de Eponina e Francisco Otaviano, o casal mais elegante do Império. Ela, uma das grandes belezas do Rio e um modelo de elegância ao receber. Ele, advogado, jornalista, parlamentar, diplomata, chefe do Partido Liberal, de moderada oposição, e amigo de juventude do imperador. *Causeur* insuperável, o brilho de Francisco Otaviano aguçava o orgulho de Sua Majestade de tê-lo ao seu lado.

É verdade que, um dia, Otaviano cometera um erro imperdoável aos olhos de d. Pedro. Era poeta e, apesar de produção bissexta, escrevera um poema, "Ilusões da vida", que caíra no gosto popular. Na Corte e nas províncias, não havia quem não o soubesse de cor:

Quem passou pela vida em branca nuvem
E em plácido repouso adormeceu
Quem não sentiu o frio da desgraça
Quem passou pela vida e não sofreu
Foi espectro de homem, não foi homem
Só passou pela vida, não viveu.

E, o que é pior, em 1872 Otaviano publicara-o num livro, *Cantos de Selma*, do qual, num gesto de soberba, mandara imprimir apenas sete exemplares — o de número um, naturalmente, dedicado ao imperador. Um livro de edição tão limitada parecia condenado ao olvido. Mas a força daqueles versos fizera com que, onde quer que Otaviano estivesse, alguém se pusesse de pé e os declamasse, sob ovação dos presentes. Ao fim da récita, Otaviano era cumprimentado e lhe rogavam que não fosse avaro com as palavras, que nunca mais deixasse de escrever. O poeta baixava os olhos, como se os tranquilizasse, e dizia que sim, continuaria a escrever — embora não tivesse a menor intenção de fazer isso, porque seria competir consigo mesmo.

As notícias dos triunfos de Otaviano chegavam a d. Pedro e o estomagavam, por ele também se aventurar nos versos e saber que os poucos amigos a quem os submetia fingiam admirá-los apenas por eles serem de quem eram. Sim, Otaviano podia ser poeta de um poema só, mas era o autor de "Ilusões da vida", e bastava.

A consagração final de Otaviano como poeta se dera havia três anos no Cassino Fluminense, o opulento clube da rua do Passeio que o imperador às vezes prestigiava. Em certa noite festiva, assim que Otaviano adentrou o recinto, um orador levantou-se no meio do salão e começou: "Quem passou pela vida em branca nuvem...". Nem precisara pedir silêncio. Mal chegou ao segundo verso, os presentes se juntaram e, num coro de quase mil bocas, recitaram o resto do poema. Nunca se vira tal na história do Brasil — nem Gonçalves de Magalhães, com o seu *A Confederação dos Tamoyos*, conhecera semelhante glória.

Por sorte, d. Pedro, em viagem pelas províncias, não estava ali naquela noite, o que o poupou de ver-se esmagado pelo amigo. Porque, se lá estivesse, seria a segunda vez que Otaviano, sem querer, o venceria no mesmo Cassino Fluminense. A primeira fora no baile de encerramento da temporada de 1852, em que, entre muitas outras jovens, a bela Eponina Moniz Barreto, no frescor dos quinze anos de idade, fizera sua entrada na Corte.

Quando Eponina surgiu no portal do salão, de braço com o pai, não somente d. Pedro, mas todos se viraram para admirá-la. E havia muito que admirar: o cabelo ornado, o pescoço comprido e o colo gárcio (como os salões passaram a se referir à sua linha dos seios exposta pelo decote fundo). Tinha um perfil altivo e petulante de quem, apesar da idade, era detentora dos segredos do mundo. E talvez fosse mesmo. Eponina era filha do jornalista Joaquim Francisco Moniz Barreto, veemente diretor do *Correio Mercantil* e o homem mais bem informado sobre as finanças do Império. Fora, desde criança, educada na Itália e conhecera toda a Europa tendo como preceptora uma doutora nos sonetos e madrigais de Michelangelo. Mas Eponina não se limitara a isso. Aprendera línguas, lera Sade, Casanova e Laclos às escondidas e só agora estava de volta ao Rio — quem sabe para civilizá-lo.

A cada passo de Eponina no salão, as pessoas perfilavam-se para lhe abrir caminho, como se ela deslizasse sobre tapetes invisíveis. Sua presença acelerou uma multidão de correntes sanguíneas entre os homens, e d. Pedro foi dos que sentiram o pulso disparar. O único a permanecer indiferente parecia ser Otaviano, com quem o imperador, segundos antes, discutia a poesia do americano Longfellow, uma admiração de ambos. À entrada de Eponina, Otaviano estava em meio a uma análise das famosas reverberações do poeta e não percebeu que, de repente, aos ouvidos de d. Pedro, seus argumentos tinham se reduzido a um vago e longínquo eco — porque Sua Majestade simplesmente deixara de escutá-lo. Otaviano não se perturbou. Continuou a discorrer sobre Longfellow, enquanto Eponina cruzava o salão em direção a eles, para as devidas mesuras ao imperador. E só ao tocar-lhe a mão enluvada d. Pedro despertou do transe, assaltado pela súbita tristeza de estar diante de um ideal inatingível. Otaviano, por sua vez, beijou a mão de Eponina e nem se alterou quando ela se dirigiu a ele pelo nome. E nem poderia se alterar — porque os dois já se conheciam. Não apenas isso. Estavam noivos.

Eponina e Otaviano tinham se conhecido em Florença, onde, à sombra do *Rapto das sabinas*, na Piazza della Signoria, ele lhe jurara amor e dissera que, assim que Eponina voltasse para o Rio, dali a alguns meses, pediria ao pai dela sua mão em casamento — o que acontecera no próprio dia daquela festa no Cassino Fluminense. Não demorou muito, casaram-se, tendo o imperador como padrinho, e deram ao Cosme Velho a nobreza que dispensava títulos e pompas. A estima de d. Pedro por Otaviano nunca se abalou, mas "Ilusões da vida" e Eponina, privilégios de Otaviano, ficaram atravessadas durante anos na garganta do soberano.

No que se referia a "Ilusões da vida", não havia nada a fazer. D. Pedro nunca escreveria nada que o superasse. Mas, quanto a Eponina, a vida se encarregou de corrigir-se a si própria. Anos depois, mais velhos — nem tanto — e ainda belos, d. Pedro e Eponina se encontraram como amantes e, por algum tempo, sob um Otaviano que fingia nada perceber, viveram o romance que a juventude lhes ficara devendo.

6

IMPERADOR DO BRASIL VISITARÁ OS ESTADOS UNIDOS

[*Recorte do* New York Herald, *de 23 de setembro de 1875, colado no caderno de Sousândrade encontrado na feira de antiguidades da praça XV*]

"Informações colhidas junto à legação diplomática do Brasil em Washington fazem saber que, em abril próximo, seremos visitados pelo governante daquele país, o imperador d. Pedro II. Sua viagem coincidirá com a abertura da Exposição de Filadélfia, o principal evento das comemorações do Centenário da Independência dos Estados Unidos. Sua Majestade dispensou todas as celebrações oficiais e comunicou que gostaria de se sentir livre para viajar pelo país e conhecer nossas instituições científicas e culturais que aceitarem recebê-lo."

[*Comentário manuscrito sob o recorte, provavelmente de Sousândrade*]: Que pilantra!

7

DOMINGO DE PIQUENIQUE

[*Narrador*]

"Dr. Livingstone, eu presumo?"

Essa pergunta, dirigida pelo repórter Henry Morton Stanley ao médico, geógrafo, missionário e explorador escocês David Livingstone, em pleno sertão africano, no dia 10 de novembro de 1871, passou para a história. Era o fim vitorioso da procura quase impossível, num continente virgem, de um homem de quem se perdera o rastro e muitos julgavam morto. Cinco anos antes, em 1866, os jornais noticiaram que Livingstone, já célebre por ter mapeado o rio Zambeze, partira de Nyangwe, no Congo, com grande contingente de homens, animais e víveres, para tentar descobrir as nascentes do Nilo. Um ano depois, já não se soube mais dele. Temeu-se que tivesse sido capturado e sua expedição, dizimada.

O interesse por Livingstone, mundial e esmagador a princípio, foi encolhendo à medida que as notícias a seu respeito escasseavam e outros acontecimentos se impunham, como epidemias, cataclismos, guerras. Mais um pouco e esse interesse se evaporou por completo. Menos para um homem: James Gordon Bennett Jr., proprietário e editor do *New York Herald*, jornal que tentava competir com o *World Telegraph*, o *Sun*, o *Times*, o *Tribune* e outros grandes de Nova York.

Bennett se cansara de ler os artigos sobre assuntos anódinos e desimportantes de que se faziam os jornais, inclusive o dele. Eram artigos de opinião, opacos e massudos. Por que os jornais não davam mais notícias, fatos, informações? Por que não fazer de uma notícia um folhetim, uma narrativa emocionante, só que com informações reais ou quase? E então, em 1870, teve a ideia de mandar um jornalista à África em busca de Livingstone.

Que ideia! E Bennett sabia até como tudo deveria acontecer. À medida que a busca se desenvolvesse, o repórter aproveitaria os momentos de descanso para descrever cada passo da aventura, num estilo detalhista e empolgante envolvendo tudo por que passasse à medida que fosse acontecendo. Falaria dos perigos noturnos, da sensação de medo, dos momentos de frustração e desesperança e, esperava-se, do triunfo final. Ao fim da expedição e de volta à civilização, ele mandaria o relato por vapor para Nova York, onde o jornal o organizaria em capítulos, a ser publicados diariamente com grande estardalhaço na primeira página. Os leitores seriam mantidos por semanas ou meses na ponta dos pés, à espera dos capítulos seguintes, como faziam ao ler os folhetins de Lew Wallace e Nathaniel Hawthorne.

E o *Herald* não tinha como perder. Se Livingstone fosse encontrado vivo, a história seria sensacional. Morto, idem. E, se o próprio repórter desaparecesse na busca, também seria espetacular, porque o jornal mandaria outro para substituí-lo.

Bennett conhecia o homem para a tarefa: um galês radicado nos Estados Unidos, misto de jornalista e aventureiro, chamado Henry Stanley. Tinha cerca de trinta anos, era ágil, safo, saudável e já se provara capaz de tudo — literalmente de tudo. Só um sujeito sem caráter, como Stanley, teria lutado a favor dos dois lados na Guerra de Secessão. Começara defendendo os confederados — o Sul —, mas, ao perceber que eles iriam perder, passou-se logo para os ianques — o Norte. E com tal fervor que, em 1864, chegou a ajudante de ordens do general William Tecumseh Sherman, comandante das tropas vitoriosas. A prova disso estava numa famosa chapa captada pelo pioneiro da fotografia Mathew Brady, em que Stanley podia ser visto ao lado de Sherman quando este ordenou o incêndio de Atlanta. Isso é que era estar no lugar certo na hora certa. Só que, incapaz de se fixar em qualquer lugar, Stanley, à cata de novas cabriolagens, deixara o país assim que a guerra terminou. Estava agora na Espanha, cobrindo uma insurreição local, e decerto já íntimo do lado vencedor.

Bennett não vacilou. Tomou o navio e foi a Madri para fazer pessoalmente a proposta a Stanley. Encontraram-se num café no Paseo del Prado, e o próprio Stanley, habituado a ouvir extravagâncias, espantou-se com o que Bennett lhe ofereceu: dez mil dólares para as despesas imediatas, crédito ilimitado durante a expedição e prêmios incalculáveis se cumprisse a missão. E qual era essa? Achar Livingstone na África. Claro que Stanley aceitou.

E, assim, em março de 1871, Henry Stanley partiu para Lisboa e, de lá, para o Congo. Contratou guias, capatazes e carregadores em Nyangwe e embrenhou-se por trezentos e cinquenta quilômetros de selva. Oito meses depois — sobrevivendo a cobras, aranhas, moscas tsé-tsé, flechas envenenadas, areias movediças, epidemias de cólera, malária, varíola e disenteria e perdendo metade de seus homens e animais —, encontrou Livingstone.

Só que, segundo Stanley, ele nunca disse a frase "Dr. Livingstone, eu presumo?", que correria o mundo. Segundo contou no livro que o tornaria rico, *Através do continente negro*, ao deparar com aquele homem branco, envelhecido, cadavérico e com pele de pergaminho, em Ujiji, às margens do lago Tanganika, apenas tirou o chapéu e perguntou:

"Tenho a honra de falar com o dr. David Livingstone?"

E, quando a voz que parecia sair de uma caverna lhe disse "sim", Stanley convenceu-se de que, pelo resto da vida, nunca mais alguém lhe diria "não".

A saga de Stanley e Livingstone, narrada em artigos diários durante cento e oitenta dias em 1872, fez do *Herald* o jornal mais lido de Nova York e dos Estados Unidos — e tornou Gordon Bennett um editor sem limites em seus caprichos. Ele inventara a reportagem. E não parou por ali. Nos anos seguintes, não houve um assassinato, suicídio ou incêndio importantes, onde quer que fossem, que não rendesse ao *Herald* uma série de reportagens. Plantou um correspondente em cada grande cidade americana, lançou uma edição internacional do jornal, o *Paris Herald*, e revelou inúmeros repórteres, que despachava para coberturas exclusivas — algumas delas, a do primeiro uso militar da dinamite, no Wyoming, em 1872; o nababesco casamento da princesa do Sião com um caça-dotes húngaro, em 1873; e a primeira travessia a nado do canal da Mancha, em 1875. Para cada assunto, seu repórter chegava ao local com antecedência de semanas, durante as quais abria o apetite dos leitores com informações, até que eles não aguentassem mais esperar pelo grande evento. E, quando este finalmente começava, o jornal com a reportagem era disputado a dente pelos compradores.

A viagem de um imperador brasileiro aos Estados Unidos poderia ser um desses eventos, pensou Bennett. Até então, nunca uma coroa reinante os visitara — e com razão. Sua guerra de libertação, em 1776, não se dera contra um principado marca barbante, mas contra a Coroa inglesa, a mais poderosa do mundo, cuja armada podia conquistar continentes. E, no entanto, os americanos, armados apenas de tacapes e arcabuzes, a haviam derrotado. Não admira que, por isso, as cortes europeias tivessem passado os cem anos seguintes dando-lhes as costas. Pois, agora, um descendente dessas cortes se oferecia para visitá-los. E não apenas isso: faria sua visita coincidir com as comemorações do Centenário da Independência — da independência do jugo colonial europeu. Era a oportunidade que Bennett estava esperando.

Ele decidiu cobrir cada minuto da presença desse imperador nos Estados Unidos. Mas, como a maioria de seus leitores nunca ouvira falar de d. Pedro e talvez nem do Brasil, mandaria quanto antes um repórter para o Rio, a fim de conhecer o homem e o país e torná-los familiares para os americanos.

Bennett julgava ter também o homem para essa tarefa: James J. O'Kelly, 31 anos, nova-iorquino filho de nacionalistas irlandeses, adestrado nas piores breubas da cidade e com um currículo invejável para a sua idade. Educado em Dublin e Paris, fora para a Argélia aos vinte anos, alistara-se na Legião Estrangeira e lutara com ela no México contra as forças do odiado Maximiliano, arquiduque austríaco nomeado imperador por Napoleão III. De volta a Nova York em 1871, O'Kelly começara no *Herald* como crítico de teatro e depois se tornara repórter. Falava francês e espanhol, mentia com desembaraço e, em troca de uma informação, não hesitaria em arrombar gavetas, roubar um beijo ou saltar de um terceiro andar.

A vinda ao Rio não seria a primeira cobertura internacional de O'Kelly. Em 1873, Bennett o mandara a Havana para entrevistar o líder revolucionário Carlos Manuel de Céspedes, que, desafiando a Espanha, tomara o poder e promovera a independência unilateral de Cuba. Mas, pouco depois, Céspedes, traído e perseguido pelos legalistas, teve de refugiar-se na Sierra Maestra. Fingindo-se de importador de cocos, O'Kelly iludiu os espanhóis, localizou o revolucionário e passou um dia entrevistando-o numa hacienda. Ao tomar o navio de volta para Nova York, foi detido e revistado pelos espanhóis em busca de suas anotações. Mas eles não as encontraram, e O'Kelly foi libertado. A salvo no barco, ele tirou a papelada escondida no forro de seu chapéu, escreveu a reportagem e, semanas depois, ela saiu no *Herald* com grande repercussão. Em 1874, Céspedes foi morto numa emboscada e, por um correio anônimo, os espanhóis mandaram dizer a O'Kelly que, se voltasse a Havana, eles lhe mostrariam como se abre um coco — usando sua cabeça na demonstração.

O'Kelly não tomou conhecimento. E, se nem a hipótese de ter a cabeça aberta em gomos o abalava, sua excursão à romântica monarquia brasileira seria um domingo de piquenique.

8

NO BRASIL, ESPIRROS EM NOME DE DEUS

[*Primeira reportagem de James J. O'Kelly para o* New York Herald, *10 de fevereiro de 1876*]

Rio de Janeiro — Nenhuma descrição da entrada na baía de Guanabara, entre as muitas que li ao estudar o Brasil antes de embarcar, faz jus ao espetáculo com que ela surge aos nossos olhos. É como se o sol a derretesse em ouro líquido, e é impossível descrever a coreografia de ilhas, praias, matas, enseadas e rochas saindo umas detrás das outras e dançando no azul. É uma visão que o mais sóbrio viajante considerará embriagadora. Há dias, a entrada da Cidade Imperial do Grão-Pará pela foz do Amazonas e a da Cidade do Salvador pela baía de Todos os Santos, escalas anteriores à chegada ao Rio, já tinham sido impressionantes. É um país bêbedo de tanta natureza.

Nos Estados Unidos sabemos pouco sobre o Brasil, donde as informações a seguir podem ser úteis. Tudo é grande no Brasil. Entre as nações do mundo, é a quinta em extensão. Sua ocupação territorial equivale a três quartos do Império Britânico. Uma única de suas ilhas, a de Marajó, é maior do que Portugal continental — o mesmo Portugal a quem, durante 322 anos, o Brasil pertenceu. E, se omitirmos o Alasca, aquele deserto de gelo recentemente incorporado ao território americano, o Brasil é maior do que os Estados Unidos. É a 13ª população do mundo, com 10 milhões de habitantes. O café que tomamos em Chattanooga ou Kalamazoo certamente veio daqui, assim como o açúcar que o adoça — ninguém produz tanto café ou açúcar quanto o Brasil. E seus recursos naturais, incluindo minérios, florestas, terra cultivável, quedas-d'água e rios navegáveis, são copiosos e, em grande parte, inexplorados. O que farão um dia com tudo isso?

A resposta a essa pergunta está nas mãos do homem que nos visitará em breve e a quem vim conhecer no Rio: o imperador d. Pedro II.

Imperador? Sim, o Brasil é uma monarquia, composta de um casal imperial, duas princesas, um príncipe consorte, um duque, vários condes e uma multidão de viscondes, barões e marqueses que não se sabe bem para o que servem. É também uma monarquia de língua portuguesa, o que torna o Brasil um país único no continente, cercado de repúblicas de origem espanhola — uma das quais, o Paraguai, teve a ideia há pouco de chamá-lo para a briga. Não foi uma boa ideia.

A capital do Brasil é o Rio de Janeiro, cidade à beira-mar, de frente para a baía de Guanabara e cortada por um incomparável espinhaço rochoso, cujos pontos altos são o Pão de Açúcar e o Corcovado. Tem 280 mil habitantes, que, apesar do calor de fornalha — estamos no auge do verão —, não abrem mão de usar roupas de lã e, segundo ouvi, ceroulas idem.

Correndo o risco de estar sendo precipitado, aqui vão algumas das minhas primeiras impressões. A maioria da população, por falta de opção, só toma banho quando chove. A cidade poderia ser mais bem varrida. E todo mundo parece usar rapé. A cada cinco minutos, leva-se uma pitada ao nariz e espirra-se — há os espirros contidos, os espirros apenas desinibidos e os espirros violentamente explosivos. A pessoa mais próxima do espirrador, cuidando-se para não ser atingida pelo esguicho, responde ao espirro dizendo "Dominus tecum!", latim para "Deus esteja contigo!". Considerando-se a quantidade diária de espirros no Rio, talvez nenhuma cidade invoque tanto o nome de Deus.

Cheguei ao Rio há uma semana e hospedei-me no Hotel Yankee, na rua do Ouvidor, bem no meio do burburinho. É dos mais caros da cidade — oferece ducha, engraxate, barbeiro, serviço de mensagens, transporte para os subúrbios, ingressos para o teatro e troca semanal de lençóis. Apesar do nome, seu café da manhã não tem nada de ianque. Em vez dos nossos frangos fritos, toucinhos defumados e costeletas de búfalo, seu forte são roscas de fubá, broinhas de milho e sonhos amanteigados — saborosos, mas inócuos, o que pode explicar o ritmo descansado com que os nativos se arrastam durante o dia. Mesmo na Castelões, uma confeitaria na rua Direita onde se marcam de articulações políticas a encontros amorosos, os balcões só servem empadinhas de palmito, sorvetes de pistache e compotas de frutas. Levei todo o primeiro dia até descobrir que, para refeições com mais vigor e sustança, bastava entrar nos restaurantes portugueses, por sorte inúmeros aqui. Foi neles que descobri pratos irresistíveis, como a caldeirada de cabrito, a galinha ao sarrabulho e os rins de porco com batatas e cebolas. Nos dias seguintes, voltei a eles várias vezes para me deliciar.

Os cariocas, como se chamam os habitantes do Rio, julgam-se franceses. A Castelões se orgulha de que seus empregados, como o cozinheiro, o gelateiro e o conserveiro, "vieram de Paris". Os anúncios nos jornais falam em *tables d'hôte, valets de chambre* e *restaurants à toute heure*. Nas livrarias, à menção de nomes como Jules Verne e Victor Hugo, só se ouve "*Oui, oui!*" ou "*Pas du tout, pas du tout!*". Há pouca literatura americana — só a custo vi num livreiro um exemplar de *A cabana do pai Tomás*, de Harriet Beecher Stowe.

Brancos, pardos, pretos e escravos aparentemente convivem com naturalidade nas ruas. Há pretos livres, bem-vestidos e articulados trabalhando na administração pública, no comércio e na imprensa, o que não anula o fato de que o país ainda é regido pelo sistema da escravidão. D. Pedro, dizem todos, envergonha-se disso e prega a abolição da escravatura, mas encontra grande resistência dos fazendeiros do café. Ouvi falar que um desses fazendeiros mantém em sua casa uma orquestra filarmônica de escravos — trinta meninos negros de até quinze anos, tocando polcas, quadrilhas e trechos de ópera para animar seus saraus, ricamente uniformizados e... descalços. O que significará isso? É uma das questões que pretendo discutir com Sua Majestade.

Estou ansioso por nosso primeiro encontro, já marcado para os próximos dias em seu palácio em São Cristóvão. Até lá, estarei mais à vontade com a língua portuguesa, embora o imperador seja internacionalmente conhecido por seu domínio de idiomas. Diz-se que é fluente em francês, italiano, espanhol, alemão, russo, inglês, grego, latim e hebraico, arranha o árabe e o persa e está estudando sânscrito. A ser verdade, isso é notável — ele poderia se comunicar, sem intérpretes, com todos os soberanos do mundo.

Mas eu já seria seu admirador se ele falasse apenas inglês. É mais do que é capaz o general Ulysses S. Grant, nosso presidente.

9

CARTA DE JAMES J. O'KELLY PARA SUA NOIVA, SRTA. GRACE O'HARA, EM NOVA YORK

[*Encontrada entre os papéis de James J. O'Kelly*]

Rio de Janeiro, 18 de fevereiro de 1876

Grace, minha querida,

Somente hoje, mais de uma semana depois de minha chegada ao

Rio, tenho a oportunidade de lhe escrever. O Brasil fica muito longe. A viagem parecia interminável, e meu único consolo no navio, além dos livros que me propus a ler sobre a história do Brasil, era a lembrança dos beijos que trocamos no cais de Nova York ao nos despedirmos.

Ainda não me encontrei com o homem [*d. Pedro II*] e não sei se poderei fazê-lo amanhã, como prometido pelo barão de Bicuíba — ou visconde, ou marquês, ainda não me entendi com essa nobiliarquia —, com quem combinei a audiência.

Por um motivo delicado, provocado pela cozinha local, não devo me arriscar a sair à rua. Pensei que, habituado aos nossos grandes bifes ensanguentados, seria capaz de comer qualquer coisa, até que ontem me empanturrei com um prato composto de tripas, pés, beiços, orelhas e bochechas de porco, temperados com alhos esmagados e pimenta-malagueta, tudo isso cozido em sangue coagulado — espero que do próprio porco. O efeito imediato foi como se tivesse engolido uma flecha incendiária disparada pelo cacique Touro Sentado e, desde então, sinto-me como se minhas próprias entranhas tivessem feito parte do prato.

Sou obrigado a correr de hora em hora para o banheiro, que fica no fim de um longo corredor no hotel e, quando chego, ele está sempre ocupado por um hóspede nas mesmas condições que eu. É um suplício encontrar a porta fechada e, enquanto espero no lado de fora durante quarenta minutos, ter de escutar o homem emitindo estampidos e outros ruídos. Sem falar que é um ato de grande coragem entrar no cubículo depois que ele sai.

Não fosse por isso, estaria tudo bem aqui. O povo do Rio é muito simpático, e há sempre alguém para me dar informações e se oferecendo para me acompanhar a qualquer lugar a que queira ir. Espero conhecer algumas famílias da aristocracia carioca, que dizem ser das mais fechadas do mundo. A cidade é muito viva durante o dia, mas não há o que fazer depois das seis horas da tarde. Aparentemente, todo mundo vai dormir. Nas tabernas servem-se somente vinho ou cerveja, bebidas que, como você sabe, não aprecio — e, como o uísque é inexistente por aqui, você gostará de saber que tenho estado completamente abstêmio desde que cheguei. Encontrei uma Bíblia em inglês numa gaveta do meu quarto, e sua leitura tem me ajudado a atravessar as noites. Estou particularmente fascinado por Mateus e Isaías. Enfim, esta será a minha realidade nos dois meses que passarei no Rio, até embarcar para Nova York com o imperador, em fins de março.

Escreva-me, querida Grace! Sinto sua falta!

Com todo o amor, do seu noivo

James

10

RELATÓRIO RESERVADO DO MARQUÊS DE BICUÍBA PARA O DUQUE DE CAXIAS

[*Arquivo do Museu Imperial*]

Para o marechal Luiz Alves de Lima e Silva, duque de Caxias
Presidente do Conselho de Ministros
De Manuel A. do Nascimento Silva, marquês de Bicuíba
Conselheiro da Justiça de Sua Majestade

Rio, 18 de fevereiro de 1876

Excelentíssimo sr. marechal,

Seguindo suas recomendações, instruí meus auxiliares a acompanhar discretamente as atividades do enviado especial do jornal *The New York Herald*, sr. James J. O'Kelly, ao nosso país, desde sua chegada ao Rio. Considerando-se que da visita desse jornalista resultarão artigos na imprensa da América do Norte, e que Sua Majestade está de viagem marcada para lá, estamos tentando contribuir para que o sr. O'Kelly tenha uma visão favorável do Brasil. Sempre que possível, e sem que ele perceba, há um funcionário nosso nas suas proximidades para dar-lhe uma informação, sugerir--lhe um passeio e, principalmente, evitar que se meta em lugares onde esteja sujeito a algum desaire.

O problema é que o sr. O'Kelly, como dizem dos norte-americanos de origem irlandesa, é muito voluntarioso. Revelou-se adepto das bebidas espirituosas e, à falta do uísque, infusão predileta de seus conterrâneos, encantou-se pela nossa aguardente. Toma-a em grande quantidade, embora não pareça se alterar por isso. Em vez de limitar sua circulação pela cidade aos bairros nobres, como Botafogo ou Laranjeiras, o sr. O'Kelly tem-se embarafustado às altas horas da noite pela zona portuária. Já foi diversas vezes à Gamboa e à Ponta do Caju, território de contrabandistas, embarcadiços e, por causa do cemitério vizinho, coveiros. É grande apreciador das mulheres do cais e parece sentir-se à vontade nas tabernas mais decaídas da região, com suas paredes que, dizem, cheiram a sardinha, cachaça e, com todo o respeito, urina. Até agora nada lhe aconteceu, mas um de nossos homens já temeu segui-lo por aquelas ruas escuras e perigosas.

Paradoxalmente, outra característica do sr. O'Kelly é o seu desembaraço nos ambientes finos. Levado pelo primeiro-secretário da legação norte-americana a uma recepção na casa do visconde de Silva, em Botafogo, o jornalista entabulou animadas conversações com as jovens senhoras presentes, que o acharam atraente e original. De fato, ele não se parece em nada com a maioria dos nossos jornalistas, homens rudes, habituados a manter um trabuco carregado em suas bancadas para receber possíveis desafetos. O sr. O'Kelly se veste pelos últimos ditames da moda de seu país, expressa-se muito bem em francês e encantou as raparigas ao lhes contar sua entrevista pessoal com uma escritora sua conterrânea, chamada Louisa Alcott ou Woollcott, autora de uma recente novela feminina do conhecimento e apreço delas.

Uma jovem a quem ele deu especial atenção em casa do visconde, e parece ter sido correspondido, foi Maria Carolina Pereira

Vergueiro, neta do senador Vergueiro. Valsaram por quase toda a noite nos jardins iluminados a gás e diz-se que, na tarde seguinte, alegando ir à missa na igreja da Lapa do Desterro, Maria Carolina teria ido ao encontro do sr. O'Kelly num banco mais reservado do Passeio Público. Depois se descobriu, por intermédio de uma beata, que, pelo fato de o padre ter sido encontrado embriagado nos fundos da sacristia, não houve missa na igreja aquela tarde. Donde Carolina faltou com a verdade. O relacionamento com o norte-americano, se verdadeiro, é preocupante, porque Maria Carolina, que tem dezoito anos, está prestes a convolar núpcias com o advogado Cupertino Raposo, causídico de vários elementos suspeitos nas altas esferas. Teme-se que, sabendo-se ofendido em sua honra de noivo, o dr. Raposo intente uma ação violenta contra o sr. O'Kelly, o que seria desastroso para nossas intenções.

Como não podemos controlar o nosso visitante, ouso sugerir que uma pessoa de confiança do sr. marechal, como uma sobrinha ou neta da idade de Maria Carolina, tente alertá-la para o risco da situação.

Respeitosamente etc. etc.

Manuel Antonio de Nascimento Silva, marquês de Bicuíba

11

UM FIRME APERTO DE MÃOS — O HOMEM QUE IREMOS RECEBER

[*Reportagem de James J. O'Kelly,* New York Herald, *26 de fevereiro de 1876*]

Rio de Janeiro — Este correspondente foi recebido ontem em palácio e manteve longa conversação com d. Pedro d'Alcântara.

Dito assim, pode parecer um encontro corriqueiro com uma autoridade estrangeira. Acontece que estou me referindo a d. Pedro II, imperador do Brasil, e seu nome completo é Pedro de Alcântara João Carlos Leopoldo Salvador Bibiano Francisco Xavier de Paula Leocádio Miguel Gabriel Rafael Gonzaga de Habsburgo-Lorena e Bragança. Se o leitor acha extravagante essa quantidade de prenomes, saiba que se justificam quando se leem os nomes finais: Habsburgo-Lorena e Bragança. Eles representam as ilustres casas imperiais europeias de que d. Pedro é descendente. A de Bragança, por parte de seu pai, o imperador d. Pedro I, data de 1640, com raízes ainda mais remotas. Já a de Habsburgo, por parte de sua mãe, d. Maria Leopoldina, arquiduquesa da Áustria, é simplesmente a mais antiga de todas no mundo. Origina-se de uma fortaleza levantada numa elevação que hoje conhecemos como a Suíça, no ano de, acredite, 1020.

Para os cidadãos de um país jovem, como os Estados Unidos, deve haver algo de notável num homem cujos avós remontam a quase novecentos anos. E que currículo o dessa dinastia! A começar pelo domínio do Sacro Império Romano-Germânico, em 1273, os Habsburgo levaram os séculos seguintes reinando sobre a Áustria, a Hungria, a Boêmia, a Croácia, quase toda a Itália, os Países Baixos, a Borgonha, a Espanha, Portugal e, finalmente, o Brasil, sem contar as outras regiões subjugadas pela força aos príncipes, duques e arquiduques da família. Por sua posição, os Habsburgo estiveram no centro de vários episódios que dividiram o mundo neste milênio, como a resistência da Europa ao domínio turco, a Reforma, a Contrarreforma e guerras que podiam durar de trinta a trezentos anos. Notar ainda que, através do casamento, suas mulheres — antepassadas de d. Pedro II — também tiveram papéis preponderantes na História.

A famosa Maria Antonieta, mulher de Luís XVI e última rainha da França, ambos guilhotinados em 1793 pela Revolução Francesa, era tia-bisavó do imperador. Outra tia de d. Pedro, a arquiduquesa Maria Luísa, irmã mais velha de sua mãe, foi casada com ninguém menos que o maior inimigo dos Habsburgo — Napoleão! —, numa tentativa de detê-lo em seu avanço sobre o mundo. Se não sabem, Napoleão avançou do mesmo jeito, inclusive sobre Portugal, e foi isso que levou, em 1808, o príncipe regente d. João, avô de d. Pedro II, a transferir o trono português para o Brasil — que, declarado país independente em 1822 por seu pai, d. Pedro I, está agora sob sua Coroa.

Pois esse é o homem que estará entre nós nas comemorações do centenário da nossa própria independência e que visitei numa de suas residências oficiais no Rio, no bairro de São Cristóvão.

Minha audiência foi marcada para o fim da tarde, hora em que o imperador se deixa ficar ao alcance de seus súditos para cumprimentos ou pequenas solicitações particulares. Esses encontros, agendados com antecedência por um camarista, dão-se um a um e duram poucos minutos cada.

Mesmo sabendo que seria o último a privar com o imperador, cheguei cedo para apreciar o ritual. Ao entregar ao camarista meu cartão, no qual se lia "James J. O'Kelly — The New York Herald Tribune — News desk", ele nos olhou longa e alternadamente, a mim e ao cartão, como se quisesse certificar-se de que um correspondia ao outro. Por fim, convidou-me a entrar e sentar-me numa das cadeiras encostadas à parede, entre as cerca de dez pessoas que já estavam à espera. O salão era esparsamente mobiliado, mas com peças sólidas e de qualidade. O piso, em tábuas corridas e madeira de lei, parecia um espelho encerado. As paredes ostentavam belos retratos, sem dúvida de seus ilustres maiores. Mas tudo ali prima pela simplicidade. Em nada se evidenciam o exibicionismo e o luxo que estamos habituados a associar à ideia de realeza.

De repente, ouvimos um movimento num corredor próximo. Um senhor vestido com um fardão verde-escuro bordado a ouro, talvez um pouco justo demais para o seu porte, surgiu no pórtico de granito e anunciou:

"Sua Majestade, o imperador!"

D. Pedro II entrou na sala e todos nos levantamos. Usava casaca e calças pretas, gravata cinza, camisa branca e botinas também pretas. Com um gesto discreto, o tal senhor nos autorizou a sentarmos e fez um sinal para o primeiro solicitante.

Eram homens e mulheres de todos os aspectos e idades, inclusive uma viúva de luto fechado. O imperador falou de pé e em voz baixa com cada um deles, parecendo de fato interessado no que tinham a dizer. A um ou outro indicou um secretário sentado a uma mesa do fundo, encarregado de tomar nota dos pedidos. A isso houve duas exceções. A primeira foi um sujeito obeso e com ar prepotente, de luvas, cartola e polainas, nitidamente compradas para a ocasião e em uso pela primeira vez. Sua Majestade despachou-o em menos de um minuto, como se seu assunto não lhe dissesse respeito. Desapontado, o homem curvou-se e foi embora.

A outra exceção foi um alquebrado senhor de idade, trajando uma farda da Armada Imperial que, pelo azul desbotado e pelas mangas puídas, denotava uma aposentadoria não muito confortável. Ao vê-lo, o imperador foi em sua direção e não deixou que se levantasse. Ao contrário, sentou-se ao seu lado, tomou-lhe a mão entre as suas e a manteve assim durante boa parte da conversa. Sua Majestade, inclusive, inclinava-se para falar-lhe bem junto ao ouvido, como se não quisesse que o escutássemos. Perguntei depois ao camarista sobre o homem e fui informado de que era o capitão Secundino, ex-comandante da fragata *Amazonas*, que, com seu casco de aço couraçado e seis canhões, afundara vários navios paraguaios às margens do arroio Riachuelo, perto de Corrientes, na Argentina, em 1865. A batalha do Riachuelo, como se chamou, fizera dele um herói da Guerra do Paraguai, mas custara-lhe a audição. As centenas de canhonaços que ordenara o haviam tornado completamente surdo, daí d. Pedro ter de inclinar-se para falar-lhe. Em seguida, Sua Majestade levou o velho lobo do mar pelo braço e, numa extraordinária demonstração de carinho, entregou-o pessoalmente ao secretário.

Por fim, chegou a minha vez. Ao me dirigir ao imperador, ele me recebeu com um sorriso e um aperto de mão firme, mas não esmagador. É um homem muito alto, mas bem-proporcionado.

Tem perto de 1,90 metro de altura, peso correspondente e forte arcabouço. Os cabelos e barbas grisalhos dão-lhe mais idade do que tem, impressão que se corrige por seu porte ereto e compleição robusta. Os inequívocos sinais de firmeza e tenacidade em seu rosto, próprios de sua condição, são atenuados pela expressão benigna. Isso talvez se explique pelo fato de que, embora tenha apenas cinquenta anos, completados há quase três meses, já é imperador do Brasil há 35 anos.

D. Pedro foi, na verdade, um órfão coroado e sem direito à infância. Com um ano de idade, em 1826, perdeu sua mãe, a imperatriz Leopoldina. Aos cinco, em 1831, seu pai abdicou do trono brasileiro por razões políticas e voltou para a Europa, a fim de lutar pela Coroa portuguesa, e levou consigo a bela princesa com quem se casara, Amélia de Leuchtenberg, que o menino aceitara amorosamente como sua madrasta. O pequeno Pedro, deixado no Rio, já naquele dia foi tirado sem aviso de seu quarto na Quinta da Boa Vista e levado até o Paço para ser aclamado como imperador. Sozinho e indefeso no banco de trás da carruagem, cercado pelo povo que lhe gritava vivas em meio ao foguetório da Artilharia, o menino, atordoado pelo cheiro de pólvora e pela nuvem de fumaça, tremia de medo — medo esse que se converteu em pavor quando, na rua do Rosário, manifestantes desatrelaram os cavalos a fim de puxar eles mesmos a carruagem e abriram a portinhola para enfiar a cabeça e vê-lo de perto. Ao chegarem à praça, tiraram-no chorando do carro e o exibiram em cima de uma cadeira para a multidão, que, se quisesse, poderia tocá-lo. Ao voltar para casa, Pedro encontrou a coroa sobre sua cama — um ato simbólico já que, obviamente, ele ainda não poderia reinar. Mas já se tornava, ali, d. Pedro II.

O país foi governado a seguir por diversos regentes, à espera de que o menino chegasse à maioridade. Durante esse período, ele ficou aos cuidados do ex-ministro José Bonifácio, amigo de seu pai, e de d. Mariana Carlota, condessa de Belmonte. Esta, sim, fez-lhe, para sempre, o papel de mãe — ele a chamava de "Dadama" e seria ao seu colo que, mesmo em adulto, recorreria para se confortar. Em 1841, como os regentes não entravam em acordo, d. Pedro foi incrivelmente declarado maior e teve de assumir o trono. Tinha quinze anos. E, mais incrivelmente ainda, estava à altura da tarefa.

Nosso primeiro encontro — assegurou-me de que haverá outros — foi formal, mas cordial. Ao estender-me a mão, Sua Majestade não disfarçou seu agrado pela ocasião. Declarou-se leitor do *Herald* — recebe-o pelos vapores que chegam diariamente ao Rio. Contou-me que acompanhou as reportagens de Henry Stanley na África em busca do dr. Livingstone e convenceu-se de que os jornalistas equivalem hoje aos grandes navegadores do passado, como Colombo, Vasco da Gama e o descobridor do Brasil, Álvares Cabral. Agradeci-lhe em nome da categoria. Sua Majestade citou também outra de nossas recentes reportagens, sobre uma tentativa de atentado na África Ocidental contra o rei Zulu, e comentou que alguns monarcas vivem expostos a risco. Perguntei-lhe se tomava precauções quanto a isso, e ele, rindo da própria modéstia, respondeu que não se considerava importante para receber uma bala.

Ri também e, em nome do *Herald* e da imprensa americana, exprimi-lhe nossa satisfação pela visita do casal imperial aos Estados Unidos. Confirmou-me que ele e Sua Majestade, a imperatriz Teresa Cristina, deixarão o Rio a bordo do vapor *Hevelius*, no próximo dia 25 de março, e que, até lá, terá prazer em rever-me sempre que possível. Sugeriu que, para tanto, me entendesse com o sr. marquês de Bicuíba. E, com novo e decidido aperto de mão, encerrou a entrevista.

Espero ter-lhe causado boa impressão. A que deixou em mim foi magnífica.

12

CENA DE TEATRO PARA O JORNALISTA AMERICANO

[*Artigo de Deoclecio de Freitas em* A Matraca, *de 26 de fevereiro de 1876*]

[*Coleção da Biblioteca Nacional*]

Era só o que faltava. Segundo informações colhidas de boa fonte, o imperador recebeu ontem em palácio um jornalista norte-americano em visita ao país. Esse privilégio nunca foi concedido aos jornalistas brasileiros, exceto os babões que o bajulam e fazem parte de sua roda, como Francisco Otaviano, Araújo Porto-Alegre e Homem de Mello. Também gostaríamos de, um dia, falar-lhe em particular, mas para perguntar sobre assuntos que o governo tenta esconder. Dois deles, neste momento, são o desaparecimento de um estojo de joias da imperatriz Teresa Cristina no palácio de Petrópolis — as joias da Coroa! — e o propalado interesse do conde d'Eu numa nova e confusa espécie de loteria, envolvendo apostas em animais. Essas, sim, seriam perguntas dignas de um jornalista. Mas que sabe disso o americano?

O imperador não quis correr riscos quanto à impressão que pretendia deixar no ianque. O piso do palácio, que nunca é varrido, teve seu salão de entrada raspado de limos e gosmas ancestrais e encerado. Móveis que há anos não viam a luz do dia foram tirados dos depósitos, desfeitos os ninhos de ratos, envernizados de fresco e postos a decorar o ambiente. Os óleos nas paredes receberam uma espanada, privilégio de que não gozavam desde d. João VI. Esses melhoramentos foram observados por uma senhora que há anos tenta receber a pensão de seu defunto marido e nos garantiu que, nas outras vezes em que foi falar com o imperador, teve de esperar de pé durante horas, já que não havia cadeiras onde sentar-se.

Mas o toque de requinte no teatro armado por Sua Majestade foi a convocação do velho capitão Secundino para sentar-se entre os solicitantes e ser "reconhecido" por ele na presença do jornalista. Com isso pretendia d. Pedro passar a impressão de um governante modesto e caridoso, capaz de demonstrar carinho e consideração por um herói da pátria. Na verdade, o capitão, desde sua miserável reforma há dez anos, foi abandonado por seus camaradas de farda e, até há pouco, vinha se sustentando como barbeiro num salão da rua do Piolho. O problema é que, sendo surdo, não consegue entender direito a preferência do cliente e, com frequência, tosa a zero bigodes que eram só para ser aparados ou, sem notar, reduz barbas a cavanhaques. É triste também saber que um homem cuja bravura no manejo da espada era notória está reduzido agora a manobrar uma navalha cega com que tira bifes da cara dos clientes. Daí que, como ninguém mais quer saber dele nem como fígaro, o velho Secundino passa dificuldades. Mas o estratagema de d. Pedro deu certo, porque, encerrado o colóquio, o repórter foi visto conferenciando com o camarista sobre o idoso que o imperador cumprimentara "carinhosamente".

A única mazela que Sua Majestade não conseguiu esconder foi a existência do matadouro nas proximidades do palácio. Toda pessoa que vá a São Cristóvão sente-se nauseada com o cheiro de carniça que exala do abatedouro e se assusta com os milhares de urubus que o sobrevoam. O norte-americano não pode ter deixado de perceber esse fato e espera-se que o narre no artigo para seu jornal. Se não fizer isso, é porque já foi subornado pela Coroa com a promessa de medalhas e fitinhas ou, quem sabe, um título de barão...

13

DIÁRIO DE SUA MAJESTADE, O IMPERADOR D. PEDRO II

[*Arquivo do Museu Imperial*]

26 de fevereiro de 1876. Dia aberto aos súditos. São encontros quase simbólicos, porque não posso receber mais do que dez ou doze pessoas, e isso não representa nada diante das necessidades do povo. Mas sinto que aqueles que conseguem chegar a mim, mesmo que não possa atendê-los como gostaria, saem reconfortados.

Um momento comovente foi reencontrar o velho capitão de fragata Pedro Secundino. Seu heroísmo na batalha do Riachuelo foi fundamental para nossa vitória na Guerra do Paraguai e, há alguns anos, a Coroa deu-lhe uma generosa aposentadoria. Secundino, no entanto, foi despojado pelos próprios filhos, que, desumanos e inescrupulosos, reverteram os benefícios em causa própria. Isso lhe causou um choque irrecorrível, deixando-o esquecido de quem era e a vagar pelas ruas. Como ficou sem meios de sustento, tentou exercer funções para as quais nunca se preparou, como a de rapa-queixos. Sabedor disso, determinei que fosse transferido para um de nossos abrigos, aqui mesmo, em São Cristóvão, onde nada lhe faltaria. Mas vive fugindo de lá, e essa foi a segunda vez que me procurou em palácio, insistindo em que Eu [*em maiúscula no original*] lhe dê um navio para comandar. Pobre Secundino, ainda se julga na ativa. Reencaminhei-o ao abrigo e espero que, um dia, sua alma se pacifique.

Ao fim do expediente, recebi também o jornalista J. J. O'Kelly, do *New York Herald*, vindo ao Rio com o objetivo de produzir artigos sobre o Brasil para seu jornal. Ao contrário de um relatório de Caxias e Bicuíba a seu respeito, descrevendo-o como trêfego e leviano, achei-o equilibrado e profissional. Foi um encontro breve.

Falamos em inglês e francês e constatei que seu francês é melhor que meu inglês. Mas quero revê-lo, até para me familiarizar com o estilo da imprensa americana, que, com certeza, me acompanhará pelos quase três meses que passarei nos Estados Unidos. Além disso, espero que me instrua sobre como chegar à pessoa que mais gostaria de conhecer em seu país: o poeta Henry Wadsworth Longfellow.

Meu Deus, como admiro as imagens, a escolha das palavras, o ritmo, a dicção de Longfellow! "*Have I dreamed/ or was it real?/ What I saw as in a vision.*"

Supere isso, caro Otaviano, se for capaz!

14

CARTA DA SRTA. GRACE O'HARA PARA SEU NOIVO, JAMES J. O'KELLY, NO RIO DE JANEIRO

[*Encontrada entre os papéis de James J. O'Kelly*]

Nova York, 28 de fevereiro de 1876

Meu muito amado James,

Recebi sua carta com grande emoção. Passei as últimas semanas imaginando-o no navio a caminho do Brasil, atravessando a Amazônia, os Pampas, o Matto Grosso e expondo-se aos perigos dos Trópicos. Diante de seu silêncio, temi que tivesse sido capturado pelos nativos, devorado por um leão ou, quem sabe, me trocado por uma princesa asteca... Estou brincando, querido! Nem por um instante duvido de seu amor. Imagino-o nessa terra estranha, cumprindo seu dever, o que certamente lhe valerá pontos para que, em breve, tenhamos condições de nos casar. Papai perguntou-me ontem sobre você e tive de exagerar um pouco no meu relato. Disse-lhe que você estava hospedado no palácio do imperador e sendo tratado como um príncipe. Ele ficou satisfeito, já que sua ideia de qualquer país ao sul da fronteira é de um lugar cheio de cobras e gente seminua.

James, James, quando você estará de volta? Já sei, em breve tomará o navio ao lado do imperador, desembarcará com ele em Nova York e o acompanhará aqui por toda parte. Você me apresentará a ele? Por seu artigo no *Herald* — li-o dezenas de vezes, acho que já o sei de cor —, parece um homem *muito* atraente. Mas não se preocupe, bobinho! Prometo não olhar demais para ele quando estivermos os três juntos...

Estou brincando de novo! Eu e Dolly fomos passear ontem no Central Park e dois engraçadinhos disseram alguma coisa à nossa passagem. Não sei se era um elogio. Não lhes demos tempo para isso. Eu e Dolly fomos para cima deles com nossas sombrinhas e eles saíram correndo! A audácia!

Bem, eu poderia continuar escrevendo para você durante horas, contando tudo que está acontecendo aqui. Tia Florence foi acometida de um ataque de lumbago, acredita? Papai teve crises terríveis de asma e eu própria ando sofrendo com excesso de catarro. Mas acho que você deve estar esgotado de tanto trabalho e precisando de repouso.

Então durma bem, meu príncipe!

Com muito, muito, muito, muito, muito amor, da sua

Grace

15

A CONJURA
[*Narrador*]

Perto da meia-noite, o homem alto, atraente, cara raspada e beirando os trinta subiu a escada que levava ao segundo andar de um sobrado na rua da Quitanda. Com o nó dos dedos, bateu suavemente a uma porta onde, numa placa de bronze, se lia MELLO & RAPOSO, ADVOGADOS. Era o escritório do dr. Cupertino Raposo, conhecido causídico, em sociedade com o dr. Adolfo Mello, um dos mais antigos profissionais da Corte — tão antigo, na verdade, que, quando ele começou a advogar, d. Pedro II ainda estava em cueiros e o país era regido pelo padre Feijó. Quase aposentado, o dr. Mello ia pouco agora ao escritório, com o que seu pupilo, o dr. Raposo, ambicioso e sem peias, podia usar as instalações até para conspirar. Foi ele quem abriu a porta para Leopoldo Ferrão. E era justamente para o que se prestava a visita do homem alto e atraente — uma conspiração. Uma conjura para esmagar a monarquia e proclamar a República do Brasil.

Raposo recebeu Ferrão com um firme aperto de mão. No fundo da sala quase às escuras, para que não se percebesse da rua que ali havia movimento, outros três homens esperavam o visitante. Trocaram cumprimentos à distância, mútuos e severos, sem necessidade de apresentações. Todos se conheciam e, quanto menos nomes fossem pronunciados, melhor. Os três eram um militar, um engenheiro e um político. O militar (à paisana por precaução) ostentava uma das maiores patentes de sua arma e tinha tropas sob seu comando. O engenheiro, também um estrategista militar, sabia como fazer das ruas do Rio uma ratoeira sem saída ou liberá-las para o avanço da multidão. E o terceiro não era um político qualquer, mas — acredite — um dos novos membros do Conselho de Ministros do Império. Todos eram responsáveis pelas diferentes etapas brasileiras da conjura.

Naquela noite, os cinco homens estavam se vendo juntos pela primeira vez. Até então, por precaução, cada qual se encontrara com apenas um dos outros de cada vez. Raposo, por seu trânsito fácil em sociedade, era o elo entre eles. E Ferrão o mais importante, aquele de quem tudo dependeria — encarregado da eliminação de d. Pedro II durante a estadia deste nos Estados Unidos.

A ideia surgiu quando se anunciou a viagem do imperador, quase um ano antes. Nomes eminentes da Corte, até então discretos na sua preferência pela república, descobriram que tinham convicções em comum: a mudança do regime por um ato de força, já que não podiam contar com os políticos para isso. Não por acaso, eles eram todos homens de ação, aptos a mobilizar especialistas, soldados e seguidores para tarefas específicas.

Uma das primeiras fases já estava sendo cumprida: incrementar a pregação republicana pela imprensa, com o fito de converter os recalcitrantes e preparar o povo para a mudança do regime. Tarefa simples, porque muitos jornalistas eram naturalmente simpáticos à república. Outra, levantar junto aos financiadores da conjura o quase proibitivo montante de três mil dólares, quantia necessária para as despesas da operação. E a mais difícil: aproveitar a reforma do Ministério promovida por d. Pedro e induzi-lo a aceitar determinado nome para uma das pastas. O que, com paciente trabalho, se conseguiu — eles tinham agora, dentro do poder, um secreto e insuspeito republicano. Essa cunha era fundamental porque, em certo momento, a queda do regime poderia enfrentar resistência na área da Defesa. Nesse caso, o ministro infiltrado estaria em posição de neutralizá-la. O plano cresceu e sua costura se deu aos poucos, com as dificuldades impostas pela necessidade de sufocante sigilo — motivo pelo qual, aliás, os nomes dos três conspiradores ficam incógnitos nesta narrativa.

Poucos meses antes, eles tinham levado um susto. Um grupo de republicanos irresponsáveis desfechou uma desastrada tentativa de golpe envolvendo bombas, atentados terroristas e um sequestro. D. Pedro sufocou-a com facilidade e abafou a notícia. A sedição fracassada acabaria sendo positiva para eles — confiante de que tão cedo não haveria nova tentativa, o regime talvez afrouxasse a vigilância. Além disso, o que Raposo, Ferrão e seus associados tinham em mente se daria longe dessa vigilância. Mais exatamente, a milhares de quilômetros do Paço Imperial, no mais impensável dos cenários e tendo a separá-los o oceano Atlântico.

O encontro no escritório da rua da Quitanda, para repassar cada etapa do plano, foi não só o primeiro como seria também o último do grupo até a esperada vitória final — porque, dali a dias, Leopoldo Ferrão tomaria um vapor para o Norte do Brasil. E, de lá, para a América do Norte.

16

UM IMPERADOR QUE SE MISTURA COM SEU POVO

[*Reportagem de James J. O'Kelly,* New York Herald, *5 de março de 1976*]

Rio de Janeiro — A visita do imperador do Brasil ao nosso país é um acontecimento marcante sob vários aspectos. É o chefe de uma grande nação e herdeiro de nomes notáveis. Representa ao mesmo tempo o esplendor das dinastias do Velho Mundo e a força e riqueza de uma potência do Novo Mundo. O Brasil é, depois dos Estados Unidos, o país mais importante do continente americano. Sua posição na América do Sul equivale à nossa na América do Norte e mantemos com ele relações comerciais que crescem dia a dia. Quatro quintos do café que bebemos provêm do Brasil. Manda-

-nos açúcar, cacau e borracha em troca dos nossos maquinismos, petróleo e cereais. Seu solo contém mais minérios do que a mente humana consegue calcular.

Se os Estados Unidos são mais ricos e fortes, devemo-lo ao sangue saxão [sic] e ao fato de a natureza exigir empenho e coragem de nossa gente para construir um império em plagas tão hostis. No Brasil, a energia do homem é dominada pela exuberância da natureza, o que pode explicar a relativa indolência que se observa quando circulamos pelas ruas quentes e abafadas do Rio.

Ainda não há cabo telegráfico direto entre o Brasil e os Estados Unidos. Essas reportagens estão sendo enviadas pelo cabo submarino Rio-Londres, inaugurado em 1874 por d. Pedro II, e só então seguem de Londres para Nova York. Forma-se com isso um triângulo e, quando o cabograma chega à redação do *Herald*, na esquina da Nassau com a Beekman Street, no distrito financeiro de Manhattan, dir-se-ia que toca o terceiro vértice da figura geométrica. É um tributo ao poder e à glória da rainha Vitória que a comunicação entre as duas maiores nações das Américas tenha de passar pelo Império Britânico. Mas essa realidade não será eterna. O Brasil, assim como a Índia, está destinado a ocupar o lugar das potências tradicionais.

O imperador do Brasil não é um monarca decorativo. Nesta época em que os príncipes são considerados meros vagabundos internacionais, como os herdeiros de Malta e do Turquestão, d. Pedro II sobressai como um pensador dos mais avançados de nosso tempo. É estudioso e se interessa pela filosofia, pela ciência e pela cultura — um de seus objetivos na viagem, conforme me confidenciou, é conhecer Henry Wadsworth Longfellow, o maior poeta em língua inglesa neste momento. Em digressões anteriores pela Europa, d. Pedro encontrou-se em Berlim com o compositor Richard Wagner e em Paris com o filósofo Ernest Renan e o cientista Louis Pasteur. Haverá outro governante tão sofisticado?

No Rio, relaciona-se, segundo sei, com romancistas e historiadores. Tira de seu próprio dinheiro o patrocínio a poetas e encomenda sinfonias a compositores. Vai muito a concertos. Este correspondente é veterano de coberturas em dois ou três continentes, conhece várias repúblicas e monarquias e nunca viu tamanha adesão popular a um governante. O povo brasileiro adora seu soberano.

D. Pedro assistiu na noite de ontem à apresentação de *A africana*, ópera de Meyerbeer sobre o explorador português Vasco da Gama, no Teatro São Pedro d'Alcântara — por acaso, o mesmo nome do imperador, embora não se conheça um santo assim chamado. O coche que o levou do Paço ao teatro, no largo do Rocio, foi saudado pelos populares nas ruas apinhadas. A aclamação continuou no interior do teatro quando ele entrou, vinda tanto dos camarotes quanto das galerias. Assisti a tudo encantado, mas, para ele, é uma cena que se repete todos os dias. Não será surpresa se se repetir também em seus deslocamentos pelos Estados Unidos.

O imperador costuma passear pela vizinha cidade de Petrópolis, onde mantém uma de suas residências oficiais — o nome significa "cidade de Pedro" —, sem acompanhantes ou guardas de qualquer tipo. Belas jovens em corcéis, chamadas "as amazonas de Petrópolis", passam por sua carruagem, fazem-lhe mesuras e ele lhes tira o chapéu. Anda a pé pelas ruas, e ricos e pobres são livres para abordá-lo. Eu próprio testemunhei isso há alguns dias, ao acompanhá-lo em suas caminhadas pela cidade serrana.

Sua disposição para caminhar é invejável. Não parece se cansar. Seus passos são largos e apressados e, enquanto subia e descia ladeiras, fez-me perguntas sobre os Estados Unidos, a que respondi como podia. "Qual é a população de Nova York?" (Cerca de 1 milhão de habitantes.) "Qual é a tiragem diária do *Herald*?" (Oitenta mil exemplares.) "Qual é a população universitária dos Estados Unidos?" (Não sei.) "É verdade que há uma universidade só para mulheres?" (Sim, Vassar, perto de Cambridge.) "Haverá alguma peça de Shakespeare em cartaz no teatro durante minha estadia em Nova York?" (É bem provável.) "Há alguma tribo indígena ainda em pé de guerra?" (Sim, os Pés Pretos, no Idaho.) "A Guerra Civil resolveu o problema da escravidão?" (Em termos. A escravidão foi abolida, mas, no Sul, continua a perseguição à população negra, inclusive com linchamentos.) "Qual é a altura das cataratas do Niágara?" (Não sei.)

Sua Majestade conseguiu aquilo que nenhum jornalista deve permitir — inverter a relação entre o repórter e o entrevistado. Conseguiu fazer-me perguntas. Mas de que esse homem não será capaz?

17

CARTA DE MARIA CAROLINA VERGUEIRO PARA JAMES J. O'KELLY, ENTREGUE NO HOTEL YANKEE POR UM MOLEQUE DE RECADOS

[*Encontrada entre os papéis de James J. O'Kelly — algumas palavras ilegíveis por furos de insetos*]

Rio de Janeiro, [*data ilegível*]

Estimado sr. O'Kelly,

Escrevo-lhe ainda fremente por nosso encontro no Passeio Público, há duas semanas, quando tive a oportunidade de admirá-lo mais ainda por sua nobreza como homem. Que outro homem não se aproveitaria daquele recanto protegido por grandes folhas de tinhorão? Sei bem que me exponho ao falar-lhe por escrito de minha [*ilegível*] por V.S. Não compete a uma dama abrir tão cedo seus sentimentos. Acontece que não tenho tempo para etiquetas.

Fui prometida por minha família a um homem que não amo e, sinceramente, até me repugna. É um advogado influente na Corte, mas egoísta, grosseiro e sem modos. As normas de nossa sociedade obrigam-me a sujeitar-me a esse destino que não desejo e me martiriza. Eu me submeteria a ele se não tivesse conhecido V.S. naquela noite inesquecível, em que valsamos repetidamente, na casa do visconde de Silva.

V.S. é o ideal que, sem saber, eu procurava. É um homem [*ilegível*], oriundo de uma civilização mais avançada, com sinais evidentes de um próspero futuro pessoal — não que isso [*ilegível*]. Posso perceber suas qualidades porque eu própria, educada em Londres, não me conformo com as exigências tacanhas de nosso meio. Por V.S. eu estaria disposta a [*ilegível*] e acompanhá-lo para a América, onde nos casaríamos e [*ilegível*] muito felizes.

Sei bem do que estarei abrindo mão em meu país se isso se consumar. Meu falecido avô, o senador Nicolau Pereira de Campos Vergueiro, em jovem, também trocou uma situação excepcional em Vale da Porca, freguesia de Macedo de Cavaleiros, domínio milenar de nossa família no nordeste de Portugal, para aventurar-se por este mundo desconhecido representado pelo Brasil. Ao aqui chegar, entrou para a política, na qual, mercê de seus méritos, fez bela carreira. Várias vezes ministro do Império, foi detentor da Grã-Cruz da Ordem do Cruzeiro e, sua máxima glória, membro da Regência Trina Provisória, que assumiu o poder em 1831, em função da minoridade do imperador. Na verdade, foi meu avô quem ministrou a Sua Majestade, aos cinco anos de idade, as primeiras lições de matemática, [*ilegível*] naturais e astronomia, que tanto lhe valem até hoje. Sinceramente, considero a contribuição de meu avô à formação de Sua Majestade mais importante que a do então coronel Luiz Alves de Lima e Silva, atual duque de Caxias, que só lhe deu aulas de disciplinas pedestres, como hipismo, esgrima e tiro.

Estou ciente de que V.S. tem muitas [*ilegível*] profissionais a cumprir nesta sua breve temporada entre nós. Mas o tempo urge, tanto para mim quanto para V.S. Peço-lhe apenas que considere os sentimentos desta brasileira que, desde que o viu, não o tira de seus pensamentos e sonha com a felicidade em sua companhia.

Afetuosamente,

Maria Carolina Pereira Vergueiro

P.S.: Releve, por favor, os possíveis erros de ortografia nesta missiva. Voltei de Londres há três anos e, desde então, redigi poucas cartas em inglês.

P.P.S.: Não aceite nenhum convite, para jantar ou o que for, por mais cordial que pareça, vindo do dr. Cupertino Raposo. É meu noivo. É também um homem de temperamento imprevisível.

P.P.P.S.: Ele não sabe que trocamos muitos [*ilegível*] e beijos no Passeio Público, mas é melhor não arriscar.

P.P.P.P.S.: Por favor, destrua esta carta depois de lê-la.

Sua

Maria Carolina Pereira Vergueiro

18

ORIGINAL DE DESPACHO PARTICULAR DE JAMES J. O'KELLY PARA JAMES GORDON BENNETT JR. NA REDAÇÃO DO *NEW YORK HERALD*

[*Encontrado entre os papéis de James J. O'Kelly*]

Rio de Janeiro — Prezado sr. Bennett, não estava em meus planos enviar-lhe mensagens particulares durante esta cobertura — repórteres não mandam cartas, mandam reportagens —, mas há algumas ocorrências aqui que merecem o seu conhecimento. Não vou me referir ao fato de que a tarefa de acompanhar o imperador d. Pedro II é das mais extenuantes que enfrentei até hoje. Desde que Sua Majestade me recebeu pela primeira vez, em São Cristóvão, tentei seguir seus passos para observá-lo à distância, sem que me percebesse, e orgulho-me de dizer que consegui, mas à custa de um quase colapso físico.

O homem não para. Está de manhã no Paço da Cidade, onde despacha regularmente, viaja sem aviso para Petrópolis, passa algumas horas em reunião com seus conselheiros e de lá prossegue para Teresópolis. Retorna ao Rio no mesmo dia e vai tarde da noite para São Cristóvão, de onde sai muito cedo no dia seguinte para voltar inexplicavelmente a Petrópolis e, de lá, ir a Vassouras e, desta, para Nova Friburgo, a fim de visitar o barão de Nova Friburgo e tomar duchas. As cidades ficam a milhas de distância umas das outras e, nos dias seguintes, faz esse mesmo percurso, só que ao contrário e de forma ainda mais acelerada. É como se governasse em trânsito!

Numa dessas últimas escalas, perdi-lhe a pista e só fui reencontrá-la horas depois, em Petrópolis, onde, esgotado, me dei a ver por ele e esperei que me convidasse a conversar. O que, para meu enorme alívio, ele fez. Notar que, entre um e outro desses lugares, viajei em bondes conduzidos por muares, barcos a ponto de afundar e trens que nunca partiam nem chegavam no horário, sob um calor de braseiro, incalculável em graus Fahrenheit. E tive de subir e descer incontáveis serras, sendo as descidas à beira de precipícios ainda mais assustadores para os cavalos da carruagem do que as subidas. Talvez, na volta a Nova York — se sobreviver até lá —, eu faça jus a um bônus por serviços prestados além do dever...

Mas o motivo pelo qual lhe escrevo é mais grave. Uma de minhas metas nessa missão, como instruído por Ike Piltcher, nosso editor, era conhecer o povo brasileiro, o que significava penetrar também nos salões da aristocracia. Numa recepção a que fui convidado, no palacete de um importante nobre local, fui apresentado à srta. Vergueiro, herdeira de rica família, com quem dancei uma ou duas valsas sem compromisso. Como me pareceu agradável e inteligente, falando perfeito inglês (com acento britânico), aceitei sua sugestão de ir conhecer, no fim da tarde do dia seguinte, determinado parque público no centro da cidade. Ao lá chegar, na hora indicada, já a encontrei à minha espera, acompanhada de sua ama. A ama foi dispensada e, mal nos acomodamos num banco parcialmente oculto pela folhagem, despejou-me meia dúzia de beijos na boca antes que eu pudesse esboçar reação.

Bem, sr. Bennett, tenho experiência no assunto e sei que não é aconselhável para um homem deixar-se levar por essas situações. Assim que pude, desvencilhei-me delicadamente dela e, com toda a calma que a situação requeria, assegurei-lhe que estava honrado com sua atenção, mas que deveríamos interromper ali aquele colóquio. Ela enrubesceu, pediu-me desculpas e disse que uma carruagem a esperava num portão lateral do jardim. Levei-a até lá, vi-a embarcar, voltei para o hotel e, desde então, nunca mais a vi nem pensei nela. Isso foi há duas semanas.

Esta tarde, no entanto, pouco depois de mais um encontro com o imperador, fui surpreendido por uma carta da srta. Vergueiro, a mim endereçada no hotel. Pelo visto, ela acreditou em suas próprias fantasias a respeito do que aconteceu no jardim. Na carta, declara-se apaixonada por mim e propõe fugirmos para Nova York e nos casarmos! Essa situação não exigiria maiores cuidados se não fosse pelo fato de a srta. Vergueiro estar noiva de um advogado, dr. Raposo, sobre quem, por coincidência, ouvi péssimas referências de meus amigos no cais do porto. É um homem cuja fachada respeitável camufla a suspeita de conexões no submundo — seus clientes costumam ser acusados de falsificação de títulos de propriedade, exploração de roleta e suborno de funcionários da Coroa. Circula em meio à nobreza, mas parece que é republicano. A srta. Vergueiro garante que ele não sabe dos nossos beijos. O que me parece, a depender dela, não demorará a acontecer — mesmo porque interpretou minha recusa a seus beijos apenas como um gesto de "nobreza" de minha parte...

Escrevo-lhe sobre isso, sr. Bennett, porque, se meus despachos se interromperem de repente, será porque seu repórter ficou subitamente impedido de enviá-los. Nesse caso, rogo-lhe que deposite o saldo de meu salário na conta bancária de meus pais, pobres imigrantes irlandeses.

Minha melhor proteção neste momento é ficar grudado no imperador. Isso talvez mantenha o dr. Raposo à distância. E espero ter saúde para sobreviver à gincana a que Sua Majestade submete quem tenta acompanhá-lo.

Sinceramente,

O'Kelly

19

RESPOSTA DE JAMES GORDON BENNETT JR. PARA JAMES J. O'KELLY, RIO DE JANEIRO

[*Encontrada entre os papéis de James J. O'Kelly*]

Nova York [*sem data*] — Caro Jim, de fato, é uma situação a considerar. Seu trabalho até agora tem sido excepcional e não gostaria de vê-lo metido numa encrenca por aí antes do embarque com o imperador. Sugiro-lhe contatar alguém de nossa representação diplomática no Rio e pedir-lhe que indique um nativo de confiança para acompanhá-lo. Dinheiro para essa contratação não é problema. Se precisar de mais algum, diga quanto e O'Malley, nosso tesoureiro, cuidará disso.

Você já correu riscos em outras tarefas — lembra-se de Havana? —, e não será um fanfarrão brasileiro que assustará um garoto criado nas docas de Nova York e nas vielas da casbá de Argel. Além disso, a intimidade com essa aristocracia tropical, corrupta e lasciva, poderá inspirar-lhe futuras histórias de ação, misturando ficção e realidade, como as que Ned Buntline está escrevendo para nós, passadas no Oeste e tendo nosso amigo William Cody — para os leitores, Buffalo Bill — como personagem. Quem sabe você não inventará um galante aventureiro à beira-mar, exímio espadachim e, de preferência, mascarado, envolvido com políticos desonestos e belas senhoritas, e que, em sua identidade secreta, poderia ser um jovem que se faz passar por tímido e medroso? Pense nisso.

Cuide-se, Jim, e evite ser beijado por garotas que você não apresentaria à sua querida mãe.

Fique bem.

James Gordon Bennett Jr.

20

O AMERICANO QUE O IMPERADOR ESTÁ FAZENDO DE BOBO

[*Artigo de Deoclecio de Freitas em* A Matraca, *10 de março de 1876*]
[*Coleção da Biblioteca Nacional*]

Pelas reportagens que tem enviado para seu jornal, o repórter americano James Kelly [sic] deixou-se perfeitamente engabelar pelo imperador. Está convencido de que o Brasil é governado por um intelectual, um estadista, um sábio. Acreditou na história do monarca linguista, quando se sabe que as únicas línguas que d. Pedro domina são o francês e o italiano, e mesmo assim porque tem parentes nesses idiomas. Quanto a seus encontros com Wagner, Renan, Pasteur e outros, serviram apenas para d. Pedro contemplá-los como um pateta, enquanto aquelas sumidades ficavam esperando — em vão — pelo que ele teria a dizer.

Kelly não sabe que uma das façanhas de Sua Majestade foi ter elevado o cochilo à altura de princípio monárquico — dorme nas reuniões do Instituto Histórico e Geográfico a ponto de os macróbios que o integram falarem aos sussurros para não acordá-lo.

O que, aliás, é desnecessário, porque d. Pedro ronca tão alto que nem um comício na calçada do Paço conseguiria despertá-lo. Nos concertos, é a mesma coisa. Se Kelly comparecer a um recital em que d. Pedro esteja presente, poderá observá-lo no camarote, ressonando violentamente e de boca aberta. Fez isso há pouco durante a apresentação da *Missa de réquiem*, de Verdi, de tal maneira que, em certa passagem, a plateia do Conservatório trocou sua atenção na música pelos rugidos do imperador, até que ele fosse acordado a beliscões pela imperatriz.

Tudo no imperador é de fachada. Se Kelly visitar a vetusta Biblioteca Imperial, em São Cristóvão, encontrará, sem dúvida, o último romance de Julio Verne, autografado pelo escritor, e uma coleção dos livros de Xavier de Maistre soberbamente encadernados e com notas do punho do imperador. Mas é só. O resto é uma babel de livros sem ordem, sem limpeza e sem catálogo, asfixiados por instrumentos exóticos como escafandros, bússolas, barômetros e espectrômetros, importados por d. Pedro, nunca se entendeu por quê. Sem falar na coleção de espadas que pertenceram a Rosas, Oribe e López, generais derrotados em batalha, não se sabe como, pelo Brasil. Se a instrução literária do imperador é apenas regular, seu conhecimento de economia, administração e negócios é nulo. Não fossem os ministros, que se nomeiam e se demitem uns aos outros, nem se imagina como estaria o país.

O jornalista norte-americano parece também impressionado com os modos do imperador — para ele, um paradigma da elegância do Velho Mundo. O que não dirá se souber que, em recente jantar para um diplomata belga no Palácio Isabel, Sua Majestade foi visto metendo a faca na boca para palitar os dentes, o que provocou engulhos na infeliz senhora do diplomata, sentada ao seu lado. Mas o pior é quando comparam favoravelmente o imperador ao seu augusto pai, e ele finge não se envergonhar.

É inegável que d. Pedro I tinha defeitos. Mas muito mais qualidades. Era um homem corajoso, de luta, dotado de paixões e de indômita força de vontade. Conquistou tantos amigos dedicados quanto inimigos implacáveis. Artista por temperamento, adorava música e conhecia tão bem os seus segredos que tocava instrumentos e compunha no pianoforte. Atirava-se com ardor aos exercícios físicos, nadava em mar bravo, montava cavalos e mulas — foi ele quem desbravou o morro do Corcovado, ao ser o primeiro a cavalgar ao seu topo. Sabia amar e, pelo amor, cometeu excessos. Quando abdicou e partiu para Lisboa, mais de uma mulher inconformada derramou por ele sofridas lágrimas. Houve até quem abandonasse casa, marido, filho e tudo que tinha no Rio e o acompanhasse até lá — como uma senhora de Paquetá, de quem não diremos o nome. O filho de cinco anos que essa senhora deixou para trás, perfilhado por seu bondoso marido, era, na verdade, filho de d. Pedro I. Em Portugal, ela foi sua imperatriz ad hoc na guerra e no amor. Quando ele morreu, em 1834, ela regressou ao Rio. Foi aceita de volta pelo marido e retomou seu amado filhinho, de quem nunca se esquecera. Era uma mulher à altura de seu homem — sendo esse homem d. Pedro I.

O nosso Pedro II, ao contrário, é um macróbio tíbio, de barbas apostólicas e pernas inchadas. Na infância, foi um menino abobalhado e triste, criado sob as saias de uma aia, a condessa de Belmonte. O trono lhe caiu ao colo aos quinze anos, quando ele ainda brincava de balouçar em cavalos de pau e formar palavras com blocos de madeira. O mundo que conhecia era o que lhe entrava pela janela do Convento do Carmo, onde passava o dia, vigiado pelos padres. Desde então, d. Pedro não evoluiu muito. A cultura, para ele, ainda consiste em equilibrar blocos uns sobre os outros, sem saber o que significam. E o mundo é um lugar pelo qual já viajou extensamente, sem nunca apear do cavalo de pau no quintal do convento.

Alguém deveria contar isso para o míster jornalista!

21

COMO IREMOS RECEBER NOSSO HÓSPEDE IMPERIAL?

[*Reportagem de James J. O'Kelly,* New York Herald, *12 de março de 1876*]

Rio de Janeiro — Em meus últimos encontros com Sua Majestade, o imperador d. Pedro II, reafirmei-lhe que, de todas as autoridades que nos visitarão na efeméride do Centenário da Independência, nenhuma será tão bem-vinda quanto o titular do Império do Brasil. Ele é um monarca num continente de repúblicas, o que nos assegura de que teremos muitas experiências a trocar. D. Pedro II será acolhido nos Estados Unidos com o respeito devido a um príncipe de invulgares predicados. Esperamos oferecer-lhe muita coisa para ver e, de sua parte, que nos queira proporcionar os resultados de suas observações.

O Brasil, por sua vez, se tornará mais familiar para nós. Lemos muito sobre seus lendários rios, florestas, fauna e flora e nos perguntamos o que Sua Majestade, ao recordar a luxuriante beleza de sua terra, pensará de nosso Norte frígido e pardacento, do violento e ainda quase intocado Oeste e da fumaça de nossas cidades industriais. O Brasil é a pátria do diamante, da ametista, da prata, do ouro, do cobre, do granito, da hulha. Opulentos sob muitos aspectos, não possuímos tal profusão de riquezas — daí, talvez, tenhamos de criá-las.

O Brasil cultiva profunda afeição por seu imperador, e seu povo há de olhar com desvanecimento a recepção que ele terá aqui. Deve estar curioso para ver como uma república se comportará diante de um rei. Ninguém duvida de que nossa acolhida de d. Pedro será efusiva e sincera — porque essa é a maneira americana de tratar os visitantes. Mas a questão de como devemos recebê-lo merece ser ponderada. Quando o imperador esteve na Europa, há quatro anos, viajou incógnito, como um aristocrata em caráter privado, livre para ir aonde quisesse. Pois Sua Majestade me garantiu que, entre nós, será a mesma coisa. Nesse sentido, sua frase para mim foi definitiva: "O imperador continuará no Brasil. Quem viajará será o sr. D'Alcântara" — a quem, aliás, ele se refere à francesa: "Monsieur d'Alcantarrá".

Pois, mesmo que assim se dê, precisamos considerar oficial sua visita. O fato de o imperador nos dar a honra de sua presença obriga-nos a recebê-lo com todos os requisitos e solenidades compatíveis com a nossa forma de governo. Dispomos de uma esquadra em Port Royal, e seria de elementar alvitre proporcionar-lhe uma revista naval. A esquadra iria facilmente ao encontro do navio do imperador em alto-mar, para comboiá-lo na Lower Bay até as nossas praias. Seria oportuno que o presidente Grant e altos funcionários do governo, generais e almirantes, além do governador e do prefeito de Nova York, estivessem presentes para recebê-lo quando desembarcasse. Não conhecemos a etiqueta diplomática indicada para tais casos, mas poderíamos improvisá-la e, a partir daí, estabelecê-la como norma de futura recepção dos chefes das nações amigas — e qual melhor para começar que o do Brasil? Deveríamos organizar um desfile de tropas, inclusive da polícia e dos bombeiros — um modesto séquito representativo, de Battery Park ao seu hotel, cruzando a Broadway, por onde sua comitiva terá de passar. Outra ideia simpática seria fazer do dia de sua chegada um feriado oficial. Os festejos seriam bem-vindos pelo povo, que de poucas folgas dispõe no árduo labor cotidiano.

Creio que o imperador apreciaria a homenagem espontânea dos cidadãos dessa metrópole, e o Brasil dela tomaria conhecimento como de um ato amistoso e significativo. O *Herald* lança um repto: se as autoridades fizerem a sua parte, Nova York se incumbirá do resto.

22

MENSAGEM DO DR. CUPERTINO RAPOSO PARA JAMES J. O'KELLY, ENTREGUE NO HOTEL YANKEE POR UM MOLEQUE DE RECADOS

[*Encontrada entre os papéis de James J. O'Kelly*]

[*Papel timbrado de Mello & Raposo, Advogados*]

Rio de Janeiro, 15 de março de 1876

Assunto: Pedido de satisfações

Preclaro sr. O'Kelly,

Tendo sido informado por minha noiva, srta. Maria Carolina Pereira Vergueiro, de que foi vítima de abusos e propostas indecorosas de sua parte em locais públicos, tenho a honra de desafiá-lo para um duelo. A data será de acordo com sua conveniência, desde que dentro de sete dias. As formalidades obrigatórias serão cumpridas a tempo.

Na condição de desafiante, cabe-me a escolha inicial de armas. Decido então por pistola ou florete, ficando-lhe a opção final. Sua escolha ser-me-á indiferente, já que sou exímio em ambas. Como local da refrega, sugiro, por suas dimensões, o Derby, no largo do Maracanã. Recomendo-lhe que não hesite em convocar seus padrinhos. Os meus, já concordes com meu convite, serão os drs. Pinto Junior e João Capistrano da Cunha, respectivamente causídico e facultativo. O duelo, naturalmente, será à morte.

Mesmo o silêncio de sua parte será tomado como resposta afirmativa a este desafio. Ao qual, se não comparecer, autorizar-me-á a executá-lo onde o encontrar.

Atenciosamente,

Cupertino Miguel Fernandes de Souza Loureiro Dias Raposo

23

DESPACHO PARTICULAR DE JAMES J. O'KELLY PARA JAMES GORDON BENNETT JR., NA REDAÇÃO DO *NEW YORK HERALD*

[*Encontrado entre os papéis de James J. O'Kelly*]

Rio de Janeiro — Prezado sr. Bennett, volto a escrever-lhe de forma reservada, desta vez para discutirmos questões de ordem estratégica sobre a cobertura da viagem do imperador.

Ah, sim, antes de tudo aquele pequeno problema com o advogado. Conforme antecipei, a srta. Vergueiro, talvez ofendida por não ter recebido resposta à sua carta, inverteu a história e foi ao noivo acusar-me de a ter abordado com propostas românticas. O dr. Raposo, compreensivelmente revoltado, mandou-me mensagem escrita — traduzida para mim por membro da nossa legação no Rio — em que me pede "satisfações", chamando-me para um duelo. O confronto seria à morte, e ele prometia cumprir logo as formalidades para oficializar o desafio, talvez esbofeteando-me em público ou cuspindo-me no olho. Como estou muito ocupado com o imperador e com a viagem a Nova York, dispensei a ajuda da legação, cujas providências demorariam a sair. Fui direto ao cais do porto, onde fiz bons amigos desde que aqui cheguei. Um deles, o albino Cabrita, líder do atracadouro e perito na navalha, ofereceu-me proteção e entrou imediatamente em ação. Bastou que, num encontro "casual" com o dr. Raposo numa viela estreita chamada rua da Quitanda, Cabrita informasse ao advogado, olhando-o no olho, que era meu amigo e que estava preocupado com a minha saúde. Ao dizer isso, apalpou o bolso lateral do casaco, deixando claro que ali havia uma faca de consideráveis dimensões. O dr. Raposo sobressaltou-se e, subitamente enternecido, disse que sua mensagem para mim talvez lhe tivesse saído truncada e que eu esquecesse o assunto. Foi melhor assim. O dr. Raposo fez bem em corrigir o equívoco porque, como advogado, deve saber que Cabrita, um homem sensível, costuma cortar as orelhas de quem ele acha que não o escuta direito. Bem, é um problema a menos.

De volta ao que nos interessa, estou ciente dos altos interesses do *Herald* na visita de d. Pedro. Em troca do investimento em minha vinda ao Rio e do que lhe custarão meus deslocamentos com Sua Majestade nos Estados Unidos, o jornal espera manter os leitores presos ao assunto pelos próximos meses. Sei também que a presença do imperador deu outro vulto às comemorações do centenário e que ele será, de longe, o convidado mais ilustre do evento. Como d. Pedro é mesmo uma personalidade fascinante, não me tem sido difícil descrevê-lo com tintas positivas. Mas nem tudo que se passa à sua volta é publicável. Os fatos que passo a descrever são apenas para seu conhecimento e podem nos ser de utilidade no futuro.

A liberdade de imprensa no Brasil, concedida pelo imperador e usada feericamente pelos jornais, é ainda mais ampla que a nossa. Há órgãos sérios, sejam liberais, conservadores ou mesmo republicanos e abolicionistas, que o respeitam. Mas a maioria o vergasta de forma impiedosa — uma publicação semanal, *Revista Ilustrada*, de um italiano recém-chegado chamado Angelo Agostini, faz críticas duríssimas a d. Pedro. Sem falar nos pasquins, os jornalecos que o atacam de todos os lados. Há desde os que o menosprezam como governante, chamando-o de vaidoso, prepotente, preguiçoso, ausente e incapaz, até os que não o poupam de insinuações sobre sua intimidade amorosa. Seu antigo romance com a sra. Luiza Margarida Portugal de Barros, condessa de Barral e Pedra Branca, vive sendo mencionado, embora esteja encerrado há anos. Fala-se também do exagerado afeto do imperador para com o jovem Horace-Dominique, filho da condessa com o falecido conde de Barral. D. Pedro o chama de "o nosso rapaz", como se ele fosse seu filho. O imperador teve dois filhos que morreram em idade precoce e, para seu desgosto, sua linha sucessória se dará por uma princesa, não pelo lado viril. Talvez, se pudesse, ele preferisse que Horace-Dominique lhe herdasse o trono...

A sra. Barral é a única de suas amantes a quem os jornais se referem pelo nome. Mas eles não ignoram as visitas do imperador a outras senhoras da Corte, revelando detalhes que às vezes levam facilmente à identificação delas. Uma dessas escapadas teria acontecido numa recente madrugada. O imperador, com dois confidentes, desceu de um coche a cem metros da casa de uma senhora na rua do Lavradio. Por seus movimentos cautelosos, o trio despertou a suspeita de um inspetor de quarteirão. Este, que fazia a ronda no outro lado da rua, deu um apito de alerta para que se identificassem. Surpreendidos, os três fizeram menção de voltar para o carro, mas o inspetor correu na direção deles, apitando com alarde. Ao alcançá-los, deu-se conta de que era o imperador e caiu de joelhos em desculpas. O imperador elogiou-o pelo cumprimento do dever e, entrando depressa no carro, foi embora irritado. Sua noite estava arruinada e só lhe restava o consolo de que, apesar dos apitos, a cena fora muito rápida, a rua estava deserta e não houvera testemunhas. Mas Sua Majestade se enganava. Pela fresta de uma janela, um vizinho, republicano convicto, vira e ouvira tudo. E só por isso a história chegou no dia seguinte a um jornal — não por acaso, o mais virulento de todos: *A Matraca*, de Deoclecio de Freitas.

O caso desse jornalista tem me chamado a atenção. Pelo que apurei, o sr. Freitas não se contenta em atacar diariamente o imperador. Seus artigos insinuam uma aversão pessoal por ele. Demonstram também um desusado interesse pela infância de d. Pedro, da qual parece ter um conhecimento que escapa até aos amigos mais antigos de Sua Majestade. Conversei com um membro do Instituto Histórico, o dr. Joaquim Manuel de Macedo, e ele me confidenciou sua curiosidade por alguns detalhes levantados por Deoclecio de Freitas em seu jornal. Como Freitas pode garantir, por exemplo, que, órfão de mãe quando ainda bebê, o imperador mamou no peito de suas aias até os doze anos de idade? E quem lhe contou que, quando seu pai, d. Pedro I, partiu para a Europa, o menino, deixado no Rio, passou os seis meses seguintes molhando os lençóis todas as noites? O dr. Macedo observa também a firmeza com que Freitas descreve os encontros românticos de d. Pedro I num barco com uma pianista residente na ilha de Paquetá e com quem se encontrava à luz do luar no meio da baía — e de quem o dr. Macedo, que julga saber tudo sobre Paquetá (escreveu um livro passado nela), nunca ouvira falar.

O principal assunto desta mensagem, no entanto, é a questão política. O imperador é amado pelo povo, mas há uma ativa elite republicana em ação, capaz de comportar tanto jornalistas inofensivos quanto perigosos grupos terroristas. E isso não é de hoje. Em 1835, quando d. Pedro II tinha dez anos e ainda não podia assumir o trono, houve um plano para sequestrá-lo. A ação se daria à noite. Os lampiões do largo do Paço, onde fica o palácio do governo, seriam apagados. Isso provocaria uma confusão que atrairia a atenção da polícia e, enquanto esta tentasse descobrir os responsáveis, uma segunda turma, já infiltrada no prédio, capturaria o pequeno imperador e o levaria para um esconderijo no morro do Castelo. No dia seguinte, um bilhete na caixa de esmolas da igreja da Candelária anunciaria as condições do resgate: a rendição dos quartéis e a deposição das armas no meio da praça. Um corpo de militares anunciaria a Proclamação da República e o menino deposto seria embarcado para a ilha de Marajó. Mas a conspiração fracassou antes de começar, porque um dos sequestradores imiscuídos no palácio foi traído por uma serviçal que ele estava cortejando e a quem contara parte do plano. Essa serviçal oferecia seus favores a um vigilante, a quem revelou a história, e este a repassou ao seu superior. Quando os lampiões foram apagados, o interior do palácio já estava ocupado pela polícia, à espera dos cabeças do golpe. Todos foram apanhados. Para a manutenção da paz interna, o episódio foi abafado. Conhecido somente por alguns estudiosos, esse fato ficou de fora da História do Brasil.

Acontece que descobri ontem, por fontes que ainda não posso

revelar, que no fim do ano passado tentou-se colocar em prática um plano semelhante — na verdade, inspirado no de 1835. O alvo dessa vez seria o menino Horace-Dominique, filho da condessa de Barral, por quem o imperador tem um amor de pai. Ele seria capturado em Petrópolis e escondido longe dali, talvez numa chácara em Cachoeiro de Macacu. O resgate seria o embarque imediato de d. Pedro para a Europa e a entrega do país a um grupo de militares republicanos, o qual só se daria a conhecer quando a família imperial já estivesse no mar.

Mas, mais uma vez, o plano foi desbaratado por acaso. Um dos conspiradores excedeu-se nos copos e fez insinuações suspeitas numa taberna do cais do porto. Foi ouvido por uma das raparigas que frequentam o estabelecimento, a qual passou a informação a um embarcadiço mais atento e, por acaso, necessitado de dinheiro. Ele a vendeu a um alcaguete e este completou o serviço alertando uma autoridade. Pelo que fiquei sabendo, a trama se daria no dia 2 de dezembro, aniversário do imperador, e começaria com a explosão de uma bomba na redação do jornal *República*, bem ao lado de meu hotel, aqui na rua do Ouvidor. Essa bomba seria atribuída aos monarquistas e provocaria grande comoção popular, a qual seria ampliada por outros atos de provocação. Mas, com o vazamento, a conspiração limitou-se à tentativa de sequestro do menino Barral, também frustrada. Foram presos vinte suspeitos e, mais uma vez, a história não transpirou. Alguns dias depois, os envolvidos foram soltos e, incrivelmente, anistiados pelo imperador. Enfim, foi outro golpe malogrado.

O fato é que, desde que a Espanha se tornou uma república, em 1868, e a França voltou a sê-lo, em 1870, muitos brasileiros, principalmente os estudantes, passaram a ver na monarquia uma instituição agonizante. Serve para nos sugerir que o país de d. Pedro não é uma opereta de Offenbach. E que, com bombas em vez de bombons, outros atentados podem ocorrer.

Sinceramente,

O'Kelly

P.S.: Antes que o senhor me pergunte. Minha fonte no cais do porto foi a rapariga a quem o conspirador falou inadvertidamente e com quem já mantive alguns colóquios íntimos. Seu nome é Helena. Em homenagem a Offenbach, autor da opereta *La belle Hélène*, costumo chamá-la de "a bela Helena". Há por toda parte no Rio uma árvore com uma deliciosa frutinha de casca amarelo-escura chamada cambucá (pronuncia-se kam-boo-'kah). Helena tem olhos cor de cambucá.

24

ENTRE ASES E REIS

[*Narrador*]

Na presença de d. Luiza Margarida, condessa de Barral, até os príncipes se sentiam plebeus. E, como acontece com algumas mulheres, não precisava de esforço algum para se impor — sua beleza, elegância e *sagesse* saíam-lhe tão naturais quanto respirar.

Pode-se dizer que ela seria assim mesmo que, nascida em rica família da Bahia, não tivesse sido criada na Europa e vivido desde cedo nos salões da nobreza. Seu pai, Domingos Borges de Barros, diplomata creditado em Paris, fora quem, graças à proximidade com o rei Carlos x, articulara, em 1823, o reconhecimento pela França da independência do Brasil, proclamada um ano antes. O imperador d. Pedro i, por gratidão, tornou-o visconde da Pedra Branca. Dali a tempos, Pedra Branca conduziu as negociações que levaram ao casamento de d. Pedro i com a bela Amélia de Leuchtenberg, ligada pelo sangue às casas reais da Itália, da Suécia e da Baviera — quando nenhuma outra herdeira aceitaria como marido o imperador do Brasil, visto nas cortes como mulherengo e sem compostura. Os anos se passaram e a filha de Pedra Branca, Luiza Margarida, casou-se em Paris com o *chevalier* francês Eugène de Barral, diplomata, filho do primeiro conde de Barral e que, com a morte do pai, lhe herdou o título. Já então como condessa de Barral, com um talher em Versalhes e outro nas Tulherias — o rei Luís Filipe a adorava —, Luiza Margarida recebeu o esmalte final em cultura, política e diplomacia.

Foi nos saraus da jovem condessa, na Rue d'Anjou, na Madeleine, que, em 1845, o disputado escritor Mérimée leu as primeiras páginas de seu novo romance, *Carmen*. Sabendo disso, Honoré de Balzac, rival de Mérimée, irrompeu de surpresa no dia seguinte em seu salão para presenteá-la com o primeiro exemplar, saído da prensa havia trinta minutos, de *A prima Bette*. Também nesse salão, num piano fabricado para a condessa pelo exigente Camille Pleyel e a ela presenteado, Chopin apresentou ao mundo a *Valsa do minuto*. E, em certa noite de gala, Baudelaire, intoxicado de absinto, ópio e haxixe, sentiu-se mal e vomitou na terrina da *soupe d'oignon*, que estava a ponto de ser servida. Para os convidados da condessa, seguiu-se um coletivo *spleen*.

Em 1847, já prevendo as atribulações revolucionárias que levariam à deposição de Luís Filipe, a condessa convenceu seu marido a se mudarem para o Brasil — para o Engenho São João, na Bahia, uma das várias propriedades da família. Fecharam o apartamento da Rue d'Anjou, com tudo que havia dentro, e zarparam para o Novo Mundo.

E foi ali, feliz em seu mundo de canaviais, que, muito depois, em 1856, a condessa recebeu uma mensagem do imperador d. Pedro II. Ele a convidava a transferir-se para o Rio a fim de presidir a educação das princesas imperiais, Isabel, de dez anos, e Leopoldina, de nove. A condessa relutou, mas, como seu marido tinha voltado para a França, preocupado com a administração de seus bens na região do Midi, ela se sentiu livre para considerar a proposta do imperador, por sinal, farta em estipêndios e honrarias. Aceitou-a e apresentou-se a ele em São Cristóvão. D. Pedro, que não a conhecia — contratara-a por sugestão de terceiros —, encantou-se por ela e, pelo visto, foi correspondido. Ele tinha trinta anos; a condessa, 39, e, a partir de uma troca de carícias com os pés sob a mesa de estudos de Leopoldina (parece que percebida por esta), os dois nunca mais se privaram um do outro.

D. Pedro deu-lhe plenos poderes na educação das princesas: aulas diárias de francês, inglês, alemão, latim, história, química, geografia, botânica e desenho. As outras damas da Corte que disputavam esse privilégio se viram barradas e, sabendo por que ele as preterira, resmungavam. "Ela impera sobre o imperador." Mas nada podiam fazer. Com seu porte de amazona e fartos cachos negros, a condessa fazia-as ferver de despeito ao vê-la cavalgando de manhã com Sua Majestade pela Quinta da Boa Vista. A paixão entre eles, tolerada pelos respectivos cônjuges, terá se prolongado pelo decênio seguinte.

Por todo esse período, a única preocupação de d. Pedro era não magoar em demasiado a imperatriz Teresa Cristina. A própria condessa, na presença da imperatriz, recolhia-se ao que um cronista classificou de "seus refolhos, capuzes e altanarias". E Teresa Cristina, na sua modéstia e bondade, parecia superior à situação, como se esta não fosse capaz de abalá-la.

O imperador era devotado à sua esposa, mas os mais próximos sabiam que a vida amorosa entre eles destinara-se apenas a gerar o herdeiro da Coroa. E, desgraçadamente, nem isso o destino lhes concedera. O filho mais velho, Afonso Pedro, morreu em 1847, aos dois anos, de tuberculose, e o infante, Pedro Afonso, em 1850, também aos dois anos e também de tuberculose. Com isso, encerrou-se a última esperança de um varão a quem coubesse a sucessão, já que, agora, o trono teria de ser de Isabel, nascida entre um e outro. A partir dali, o casal imperial resignou-se a dividir o trono, não o leito. E São Cristóvão era grande o suficiente para que a presença da condessa, como aia das princesas, não provocasse embaraços à imperatriz.

Para surpresa geral, os embaraços começaram a surgir do outro lado. Sendo d. Pedro sabidamente o titular junto à condessa, que outro homem na Corte ousaria sequer sonhar com ela? Pois um intrépido aventureiro ultrapassou essa barreira e enviou à Barral flores acompanhadas de cartão. Foi Joseph de Buschental, banqueiro suíço residente em Londres e trazido ao Brasil pelo visconde de Mauá para conhecer o projeto de uma ferrovia ligando o Rio a Magé. Pois bastou a Buschental vê-la à saída de um concerto no Teatro Lírico, a que ela fora acompanhada pelo casal Haritoff. O banqueiro era um homem de posses, fino e espirituoso. Ao ser informado de que a condessa era "amiga" do imperador, riu alto e confessou-se, ele próprio, "amigo da rainha Vitória, mas de forma estritamente platônica". Ao perceber que sua frase não fora recebida com agrado, corrigiu-se. Enviou um cartão de desculpas à condessa e concentrou-se pelos meses seguintes nos trilhos, dormentes e vergalhões da ferrovia, antes de desistir do negócio e voltar para seu país.

As atenções de Buschental para com a Barral explicavam-se pelo fato de que ele, vindo de fora, desconhecia os protocolos da Corte. Mas, pouco depois, quando se soube que outro nobre, o frajola visconde de Jacarepaguá, também tinha olhos para a condessa, isso foi preocupante. Como seria ele capaz de tal audácia? A razão só podia ser sua extrema vaidade. Era, talvez, o homem mais elegante do Império — dizia-se que uma única de suas casacas, confeccionada por Henry Poole, o alfaiate da realeza de Londres, custava mais caro do que todos os trajes civis que d. Pedro já tivera em seus armários, incluindo os armários. As mulheres o achavam irresistível. E seu pouco peso político era compensado por uma inegável simpatia. O imperador, ao ficar sabendo, sentiu-se estomagado. Mas sem motivo, porque a condessa, habituada aos reis e ases de espadas, não se passaria por um valete de paus. Não que as frases do visconde ao pé de seu ouvido nos saraus de Botafogo não lhe fizessem bem ao espírito. Mas, num jogo entre adultos, o amor era só uma circunstância.

Talvez por isso a condessa soubesse que, nove anos mais velha do que d. Pedro, era fatal que sua ascendência sobre ele estivesse destinada a uma transformação. Suas prendas físicas um dia deixariam de hipnotizá-lo. E, em certo momento, quando os anos finalmente se estamparam em seu rosto, isso aconteceu — sem dor, sem rusgas e sem deixar cicatrizes. A paixão entre eles deu lugar a um nexo de admiração e respeito, e a condessa se tornou sua conselheira privilegiada, capaz tanto de lhe dar lições de etiqueta como de lhe indicar ministros. Ao passo que d. Pedro prosseguiu em sua carreira, discreta, mas não insignificante, de admirador das graças femininas.

Em janeiro de 1876, a condessa de Barral, com Horace-Dominique e um séquito de aias baianas, voltou para Paris. Não que quisesse deixar Petrópolis e o Rio, mas circunstâncias inesperadas — e secretas — a obrigaram. E o conde, seu marido, morto havia muito, não estava na gare de Austerlitz para recebê-la.

A divina Barral, de cachos agora grisalhos, retomou seus aposentos na Rue d'Anjou, mantidos fechados por vinte anos. Abriu as janelas, cada qual dando para um quarteirão. De uma delas, via a igreja da Madeleine. De outra, o palácio do Eliseu. Da janela da frente, ao longe, a Place de la Concorde, com seus chafarizes e tritões, coração de Paris.

Para ver o Brasil — e d. Pedro —, bastava-lhe fechar os olhos e sonhar.

25

CARTA DE SUA MAJESTADE, O IMPERADOR D. PEDRO II, PARA A CONDESSA DE BARRAL, EM PARIS

[*Arquivo do Museu Imperial*]

Rio, 13 de março de 1876

Minha muito cara condessa,

Sua partida para Paris, a poucos meses de meu próprio embarque para os Estados Unidos, revelou-se ainda mais penosa para mim do que eu imaginava. Bem sei que, depois da baldada tentativa de sequestro do nosso rapaz, o bom senso ordenava a sua partida e a de Dominique para a Europa, onde estarão resguardados. As saudades são muitas e, em minhas caminhadas matinais pelos jardins de Petrópolis ou São Cristóvão, entre lágrimas que não consigo conter, penso enxergá-la em cada aleia ou coreto.

Sua ausência privou-me também da pessoa a quem confidenciei os mais íntimos segredos da Coroa e os meus próprios, sempre recebendo em troca palavras de luz e calor. E nunca a sua presença seria tão bem-vinda quanto agora, para que pudéssemos trocar ideias sobre esse mundo novo e estranho que estou a ponto de visitar.

Pelo que tenho estudado, os Estados Unidos não se parecem com nada que conhecemos. Já esperava por isso, mas só agora reconheço que minha simpatia pela república — que, como bem sabe, de há muito acalento — era simplista. Eu a imaginava uma monarquia sem monarca. Mas vejo que é muito mais. Trata-se de um sistema quase bárbaro de governo, sem quaisquer convenções, hierarquias ou formalidades. As instituições vivem à solta, como os bichos, e as coisas parecem acontecer por conta própria. E, surpreendentemente, parecem dar certo, porque a riqueza e a prosperidade daquele país são de assustar. Será este o caminho do futuro, o dos governos sem governantes?

Quando esta carta lhe chegar às mãos, já deverei estar a bordo do *Hevelius*. Mas, como o navio fará escalas na Bahia, em Pernambuco e no Grão-Pará, poderei recolher em cada cidade a sua amável correspondência. Escreva-me, condessa, anseio pela sua voz.

Meu abraço em nosso rapaz e creia-me sempre

Seu

P.

26

DIÁRIO DA CONDESSA DE BARRAL

[*Arquivo do Museu Imperial*]

Paris, 13 de março de 1876 — Só agora, mais de três meses depois de chegar a Paris, tenho ânimo para retomar este diário. A última entrada que lhe dediquei foi na manhã de 2 de dezembro do ano passado, quando ainda estava no Brasil. Naquele dia, aniversário de cinquenta anos do imperador, Petrópolis se engalanara para as comemorações, que, por Sua ordem, se resumiriam a um baile à noite, no Palácio Imperial. Desde cedo a guarda se concentrou na proteção ao palácio, em cujas imediações logo se formou um grande número de pessoas. Com isso, a vizinhança de minha casa, não longe dali, mas no outro extremo da rua da Imperatriz, ficou temporariamente despovoada.

Em meio à tarde, eu e Dominique, já prontos para sair, esperávamos pelo carro que o palácio enviaria para nos levar com antecedência para a recepção. Um coche surgiu à porta, e o condutor, que não conhecíamos, apresentou-se e embarcamos. Mal iniciado o percurso, olhando pelas cortinas entreabertas das janelas, estranhei que muitos coches passavam em sentido contrário ao nosso. Mais um pouco, percebi que o cocheiro atravessara a ponte sobre o rio Piabanha, em direção ao outro lado da cidade. Mantive-me em silêncio ainda por alguns minutos, imaginando que ele buscava uma rota alternativa para evitar a multidão.

Quando me dei conta de que entrávamos numa região deserta, desconhecida para mim, acionei o cordão para que ele parasse e eu pudesse falar-lhe. Dali a mais alguns metros, ele efetivamente parou, mas para a aparição de um mascarado que, abrindo a porta da sege, me anunciou o sequestro de Dominique.

Disse que, assim que saíssemos da cidade, todos desceríamos do coche, que seria abandonado. Eles fugiriam a cavalo, levando Dominique, e eu seria libertada com um envelope que deveria levar ao imperador o mais depressa possível. Imaginei que o envelope conteria os termos do resgate, embora não atinasse com o que seria. Mas mal tive tempo para pensar porque, enquanto ele falava, outro coche, cavalgando em velocidade e com as armas reais gravadas na lateral, parou ao lado. Dele saltou um soldado — um tenente da Infantaria em grande uniforme, com um mosquete apontado para o mascarado. Estava desfeito o sequestro.

Fora por uma questão de minutos. O coche enviado pelo palácio chegara à minha casa pouco depois que havíamos saído, mas ainda a tempo de nos ver ao longe e suspeitar de algo estranho. O tenente ordenou a seu cocheiro que nos seguisse a uma prudente distância e, quando viu que nosso carro parara, mandou acelerar e procedeu à abordagem. O mascarado percebera a aproximação do coche, mas, como já passáramos por outros e ele não sabia de quem se tratava, ignorou-o. Foi o seu erro — e a nossa felicidade.

Como viríamos a saber depois, a polícia já esperava por uma movimentação dos radicais republicanos e frustrara de véspera uma série de ações antes que elas acontecessem — uma delas, a explosão de uma bomba num jornal da rua do Ouvidor para desviar a atenção do que realmente lhes importava, que era o sequestro de meu filho. Vendo-se descobertos, os terroristas remanescentes resolveram antecipar em algumas horas a empreitada — pelo planejamento original, ela só seria executada à noite, à saída do baile, na estrebaria do palácio. Não se previra uma escolta para nós antes daquela hora.

Muita gente foi presa e, por milagre, a Corte conseguiu que o vazamento fosse mínimo. Os jornais acreditaram na versão de que a tentativa de sequestro de Dominique fora a ação individual de um desequilibrado. Mas, já no dia seguinte, d. Pedro ordenou que partíssemos para Paris.

Não sei por quanto tempo continuaremos aqui, talvez um ano

ou dois. A Paris culta, elegante e adorável que conheci no meio--século não mais existe. Tornou-se esta cidade grosseira e insensível da Terceira República. A derrota da França na guerra contra a Prússia em 1871 criou um caos econômico, os operários vivem a tramar insurreições, e o escritor atualmente em evidência é um senhor chamado Zola, a quem fui apresentada. Tem caspa nas lapelas e só escreve sobre greves, ratos e açougues. Olho ao meu redor e vejo consumar-se aquilo que nem a guilhotina conseguiu — o fim da aristocracia.

Tudo que amamos ficou para trás no Brasil, inclusive os afetos. Mas os rapapés, os bibelôs, as propriedades pessoais, não me fazem falta.

A companhia de d. Pedro, sim.

27

UMA HISTÓRIA EXCITANTE SOBRE SEU PASSADO ASSOMBRA D. PEDRO ÀS VÉSPERAS DE SEU EMBARQUE

[*Reportagem de James J. O'Kelly*, New York Herald, *20 de março de 1876*]

Rio de Janeiro — Daqui a exatamente sete dias, o imperador do Brasil embarcará para sua longa excursão pelos Estados Unidos. Depois de momentos de alguma tensão política no fim do ano, Sua Majestade deixará aos cuidados de sua filha, a princesa Isabel, um país pacificado. O marido da princesa, o conde d'Eu, muito impopular, continuará simples membro do Conselho de Estado, presidido pelo marechal Lima e Silva, duque de Caxias. Este, embora herói nacional, é um homem de idade avançada e não muito boa saúde. O governo será efetivamente exercido pelo barão de Cotegipe, bem mais moço e enérgico.

Foi também superada a notícia que pegou a população de surpresa há uma semana: a da repentina morte do jornalista Deoclecio de Freitas, proprietário e editor do pasquim *A Matraca*, de oposição à monarquia e a d. Pedro II.

Freitas foi encontrado sem vida no sobrado em que morava sozinho, na rua do Catete, segunda-feira última, dia 13. Tudo indica que morreu na cama, dormindo, de causas naturais. Ou assim pareceu pelo modo como estava vestido: camisolão de alamares, touca de flanela, meias pretas de lã e uma meia-máscara para amenizar a claridade que entrava pela janela. Os lençóis pouco desfeitos davam a entender que o enfarte fatal o acometeu assim que se deitou. Tudo o mais estava em ordem no quarto — sob a cama, o urinol, sem uso noturno, e as chinelas lado a lado; nos cabides, as pesadas casaca e sobrecasaca pretas que, dizem, usava em todas as estações; e, numa cadeira próxima, pronta para ser vestida pela manhã, uma ceroula amarela. Na cozinha, uma tigela no tanque revelava que ele tomara mingau antes de dormir.

O passamento de Deoclecio de Freitas seria de remoto interesse para os leitores do *Herald* não fosse por um detalhe que torna a história fascinante — um envelope previamente deixado por ele com um colega da imprensa, o veterano jornalista Chico Rêgo, diretor do pasquim *O Tagarela*. O envelope, de papel pardo e lacrado, continha um maço de folhas escritas com tinta preta e uma autorização juramentada do sr. Freitas para que, no caso de sua morte, o sr. Rêgo quebrasse o lacre e publicasse o texto em seu jornal, instrução que este seguiu no dia seguinte. Nesse texto, o sr. Freitas fala de seu receio de ser assassinado pelos monarquistas — o que, afinal, não se confirmou — e deixa uma bombástica revelação: a de que era filho de d. Pedro I. Ilegítimo, mas, ainda assim, filho. Daí, irmão do imperador d. Pedro II.

A vida amorosa de d. Pedro I durante sua curta vida de 35 anos nunca foi segredo para os brasileiros. Mesmo casado com a admirada d. Leopoldina, o Libertador do Brasil manteve, de 1822 a 1829, uma notória relação com a plebeia paulista Domitila de Castro, a quem fez marquesa — a marquesa de Santos — e com quem teve cinco filhos que reconheceu como seus. Mas não ficou por aí. "Frecheiro de pouca escolha", como o definiu um historiador, Pedro I manteve muitas outras relações fora do casamento — uma delas, segundo o texto do sr. Freitas, com uma jovem senhora da ilha de Paquetá, Olivia, casada com Simplício de Freitas, administrador da ilha. O imperador a conheceu numa visita a Paquetá para caçar marrecos, e a atração entre eles foi mútua e imediata. Muitos marrecos tiveram a vida poupada porque d. Pedro desistiu da caçada, preferindo dedicar-se à sua conquista. E o marido de d. Olivia, talvez interessado num título de barão ou conde, revelou-se benignamente compreensivo. A partir dali, o imperador e sua nova amada mantiveram muitos encontros ao luar, a bordo de um barco no meio da baía de Guanabara, do que resultou um filho, nascido em 1825.

E, sempre segundo o sr. Freitas, não apenas nascido em 1825, mas no dia 1º de dezembro — um dia antes do nascimento de d. Pedro d'Alcântara, que viria a ser o menino d. Pedro II e herdeiro da Coroa brasileira. Significa que, um dia mais velho que d. Pedro II, esse filho ilegítimo é que seria o verdadeiro primogênito. E quem era ele? O próprio Deoclecio de Freitas. E d. Olivia, sua mãe.

Ao contrário do que fez com as filhas da marquesa de Santos, seu pai nunca o reconheceu legalmente. Mesmo assim, tratou-o como seu, e Deoclecio, em criança, foi presença habitual no Paço do Carmo, levado por sua mãe — mas nunca em São Cristóvão, onde moravam tanto a imperatriz quanto a marquesa. Às vezes, o menino Pedro, também levado ao Carmo por suas aias, encontrava-se com Deoclecio, e os dois brincavam juntos sob as arcadas do Paço. Pode-se dizer, portanto, que até os cinco anos de ambos, os dois filhos de Pedro I, o legítimo e o ilegítimo, se relacionaram, sabendo-se irmãos. Essa amizade, se pudermos chamá-la assim, só se interrompeu em 1831, quando d. Pedro I abdicou da Coroa e voltou para Portugal e as visitas de Deoclecio foram proibidas pelo temível padre Feijó, regente do infante imperador. Foi como se, ali, Deoclecio deixasse de existir.

Mas Feijó não conseguiu apagar a existência da bela Olivia. Sob nome fictício, ela foi incorporada à comitiva que embarcou com Pedro I para Lisboa. Pelos três anos em que ele ainda viveu, lutando pela Coroa portuguesa, ela esteve clandestinamente ao seu lado, dividindo-o com d. Amélia de Leuchtenberg, sua segunda esposa. E é nesse sentido que quase foi uma imperatriz ad hoc, como a descreveu Deoclecio num artigo em *A Matraca*. Com a morte de Pedro I, em 1834, Olivia voltou para o Brasil e para Paquetá. Foi aceita de volta por Simplício de Freitas, seu marido — que nunca chegou a barão ou conde —, e recuperou Deoclecio, o filho que não a esquecera.

Tudo isso foi escrito por Deoclecio no texto que deixou com o jornalista. Só então se entendeu por que as pessoas achavam o rosto de Deoclecio familiar — era o rosto de d. Pedro I, com quem se parecia muito. Entendeu-se também por que, nos ataques que desferia contra d. Pedro II em *A Matraca*, Deoclecio parecia conhecer tão intimamente a infância do imperador. E este, sabendo que seu maior inimigo era seu meio-irmão, nunca reagiu aos ataques nem tomou medidas contra ele. Ao contrário, fingia ignorá-lo, o que pode ter multiplicado o ódio que Deoclecio lhe devotava.

A revelação sobre a identidade de Deoclecio de Freitas eletrizou a cidade por alguns dias, mas logo se dissipou. Ao contrário do que aconteceria nos Estados Unidos — imagine se de repente descobríssemos que George Washington teve dez filhos com suas escravas —, aqui ninguém parece se importar com o fato de seu primeiro imperador ter sido um estroina, cheio de amantes e filhos. O próprio d. Pedro II também não reprova o comportamento de seu pai, sendo também ele, embora mais discreto, um adepto do belo sexo.

Bem, esse é o homem que os americanos receberão em breve. Um nobre de altíssima linhagem, governante liberal e intelectual reconhecido por seus pares — e que dará a honra de sua esclarecida presença à plateia de alguma peça de Shakespeare que esteja em cartaz durante sua estadia em Nova York.

Enfim, esse é o homem. E seu passado é tão excitante quanto seu presente.

28

CANHÕES DE "ATÉ BREVE!"

[*Narrador*]

No dia 26 de março, como previsto, d. Pedro II e a imperatriz Teresa Cristina, acompanhados de vasto séquito, chegaram às oito da manhã ao Arsenal de Marinha, no Rio de Janeiro, para embarcar rumo aos Estados Unidos. A esperá-los, o transatlântico *Hevelius*, da linha Lamport & Holt, sob as ordens do comandante Ward "Bing" Markwell. O Rio, que amanhecera chuvoso, recompôs-se e ostentou um sol e um azul dignos do acontecimento.

O imperador desceu da carruagem de gala e atravessou pelo menos cem metros a pé em meio à multidão que o vivava e lhe desejava "Até breve!". O correspondente do *New York Herald*, James J. O'Kelly, diria depois que nunca imaginaria um monarca tão despreocupado e disposto a se deixar tocar pelos súditos. Recordando sua temporada no México em 1867, observou que, se o imperador Maximiliano caminhasse em meio ao povo, seria desmembrado vivo, suas partes moídas com pimenta jalapeño e fervidas como recheio de tacos e burritos, e tudo isso atirado aos coiotes, os quais seriam posteriormente fuzilados, salgados, incendiados e teriam suas cinzas enterradas no deserto de Chihuahua. Como se vê, Maximiliano não era muito apreciado pelos mexicanos. A imperatriz Teresa Cristina, por sua vez, acompanhada de sua dama de honra, foi discretamente conduzida ao navio numa liteira para duas pessoas, escoltada por quatro soldados da Guarda Imperial em uniforme também de honra.

A princesa Isabel, ao despedir-se dos pais no convés, não conseguia conter o pranto. Era como se estivesse despedindo-se para sempre. D. Pedro consolou-a, dando-lhe protocolares tapinhas nas costas e, ignorando seu choro, ordenou que só em último caso lhe escrevesse sobre assuntos do Império — que resolvesse tudo primeiro com os ministros Caxias e Cotegipe. Isso desencadeou nova profusão de lágrimas na princesa imperial. Ao retirar-se do navio, amparada pelo conde d'Eu, voltou-se várias vezes para lhes acenar com um lencinho que usava também para, com inesperado estrépito, assoar-se. Os ribombos dos canhões só pareciam não perturbar o conde d'Eu.

O sino de bordo tocou ordenando aos visitantes que deixassem o navio e, às nove em ponto, a embarcação começou a desgarrar-se pesadamente em direção ao mar. Uma guarda formada por três navios, o *Trajano*, o *Madeira* e o *Purus*, pôs-se também em movimento e cercou o *Hevelius* como se o abraçasse. Essa guarda o acompanhará enquanto ele estiver em águas brasileiras. Perfilado rente ao cais, o *Solimões*, com seus homens formados no tombadilho, saudou os imperantes com uma salva de canhões calibre 800. Em terra, uma orquestra de sessenta figuras tentava fazer com que seus hinos competissem com os motores e canhões e com os gritos de "Até breve!" da multidão. Dezenas de barcos com bandeiras brasileiras e americanas completavam a escolta, seguindo o navio até que este contornasse a ilha do Governador e deixasse para trás outra indisputada majestade brasileira — a baía de Guanabara.

Rumo aos Estados Unidos, era como se, na pessoa de d. Pedro, a monarquia estendesse seus braços para a república.

29

DIÁRIO DE SUA MAJESTADE, O IMPERADOR D. PEDRO II

[*Arquivo do Museu Imperial*]

A bordo do Hevelius, *27 de março de 1876*. Zarpamos ontem para os Estados Unidos, e tudo indica que teremos mar amigo e sereno. O comandante Markwell informou-me que espera bom tempo até o destino.

Faremos escalas nas cidades do Salvador, dos Arrecifes e de Belém do Grão-Pará. Deverei ir a terra em cada uma, o que muito me aborrecerá porque ficarei à mercê de autoridades cheias de vento, com seus longos discursos, dragonas douradas e chapéus de bicos. Os banquetes a que terei de comparecer provocar-me-ão distúrbios intestinais e gases, e voltarei para o navio carregado de tucanos, macacos e outros animais vivos com que serei presenteado. Se pudesse, ficaria a bordo e mandaria em meu lugar o visconde de Cantagalo, que, como sempre, me acompanha como camarista e adora exibir no peito suas vinte grã-cruzes, todas ao mesmo tempo — por sorte, o ventre avantajado lhe garante espaço para elas. Criticam-me por não dispensar a companhia de Cantagalo em viagens, mas não sei se encontraria alguém tão disposto a cargo tão serviçal. Não há nada que lhe peça que ele não se esfalfe para conseguir, desde um saco de água quente para os pés até cera de emergência para os bigodes. Sua esposa, d. Ofélia, viscondessa de Cantagalo, é também uma dedicada aia da imperatriz, além de habituada aos acessos de melancolia de Sua Majestade, que ela tenta mitigar com ternura e decisão.

Para o registro, declaro que nesta viagem me faço acompanhar também do almirante Joaquim de Lamare, meu antigo ministro da Marinha e atual conselheiro de Estado; do dr. José Ribeiro Fontes, cirurgião-chefe do Exército e meu médico particular; do dr. Arthur Teixeira de Macedo, advogado e meu secretário jurídico; e de meu fiel criado português Manuel de Paiva e seus três auxiliares. A imperatriz tem como acompanhantes d. Ofélia e sua filha Josefina, e suas retretas Leonídia e Joana. Não menos importante, segue também comigo o dr. Karl Henning, linguista alemão de grande renome em Berlim, Londres e Paris, atualmente residindo entre nós para estudar a língua indígena do Brasil. É meu professor de sânscrito e, juntos, temos nos dedicado à tradução do *Mahabharata*, o épico indiano — apenas fragmentos, claro, pois o poema é composto de mais de 20 mil versos. Nos intervalos, pretendo dar longos passeios pelo convés e, já tendo percebido a presença de muitos norte-americanos a bordo, espero aperfeiçoar-me no domínio do inglês.

Dias antes de embarcarmos, estourou a notícia da morte de Deoclecio de Freitas, com a revelação, desconhecida para o povo, de que tínhamos o pai em comum. O fato de Deoclecio ser filho de Sua Majestade, o imperador d. Pedro I, nunca o tornou, ao contrário do que ele pensava em seus delírios, candidato ao trono do Brasil — não mais do que outros dois irmãos nossos, também filhos ilegítimos do imperador, cada qual com uma mãe diferente, e ambos vivendo hoje no sertão da província de São Paulo. Chamam-se João Arnoso e Jorge Patrajão, sobrenomes de suas mães. Como foram concebidos pouco depois da Declaração de Independência, em 1822, são mais velhos do que nós. Sei da existência deles por papéis deixados por Luís Gonçalves dos Santos, o Padre Perereca, historiador oficial do Reino do Brasil. Não mantemos nenhum contato e, embora não tenham sido reconhecidos, recebem razoável estipêndio da Coroa desde que os localizei. Vivem com conforto e, talvez por isso, nunca se atreveram a me hostilizar. Mas não posso fazer disso uma norma. Se tiver de indenizar todos os filhos que meu augusto pai semeou pelo Império — dizem que mais de trinta —, não sei se o Tesouro comportará a despesa.

O infeliz Deoclecio, de quem me lembro de partilhar patuscadas infantis no Paço quando levado por sua mãe, dedicou-se desde cedo a escrever diatribes contra mim nos jornais da Corte. Nunca me procurou fraternalmente e nunca me concedeu estender-lhe a mão a beijar.

Talvez tenha sido melhor assim — ele poderia tê-la mordido.

30

D. PEDRO TRADUZ PARA SUA LÍNGUA O NOSSO HINO NACIONAL

[*Reportagem de James J. O'Kelly,* New York Herald, *4 de abril de 1876*]

A bordo do Hevelius — Há cinco dias, içado o pavilhão imperial em seu mastro principal, o *Hevelius* deixou a baía de Guanabara sob aclamação popular, rumo ao norte, pela costa brasileira. Embarcações de todo tipo, de pequenos barcos de pesca a vapores da Marinha, furiosamente embandeirados, aproximaram-se dele e tocaram seus apitos em saudação ao imperador d. Pedro II. Alguns nos brindaram com girândolas de *feux de joie* [*em francês no original*]. As salvas de canhões vindas dos fortes, como que lhe dizendo "boa viagem", provocavam rolos azulados de fumaça. O alarido desses apitos, fogos e canhonaços foi tão estrepitoso que, pelo susto, as gaivotas que nos sobrevoavam se descontrolaram e salpicaram os barcos com seus despejos, semelhantes a gemas de ovos. Apesar de usar chapéu, Sua Majestade, a imperatriz, foi atingida nos cabelos por um deles, e sua ama, a jovem Josefina, apressou-se em asseá-la com um lenço que, coincidentemente por perto, eu trazia no bolso e tive a honra de emprestar-lhe.

Como se vê, este correspondente também se encontra a bordo do *Hevelius*. Estou hospedado na mesma primeira classe que d. Pedro II. A diferença é que minha cabine, sem maiores luxos, fica num canto do navio, ao lado de um depósito de vassouras, enquanto a comitiva imperial ocupa uma fileira de camarotes pomposamente decorados e com paredes forradas de cretone. Os aposentos do imperador consistem de um amplo dormitório, uma sala de estar equipada com escrivaninha, biblioteca e piano, um quarto de vestir espelhado e um banheiro. O boudoir da imperatriz fica adjacente ao de seu marido e ela se faz acompanhar de d. Ofélia, viscondessa de Cantagalo, e da formosa filha desta, Josefina. O que meus aposentos têm em comum com os dos imperantes é o abafamento provocado pelo calor. As instalações contêm poucas aberturas para ventilação, o que faz com que os passageiros passem o máximo de tempo ao ar livre. A imperatriz dedica longas horas a bordar paninhos e a abanar-se, sentada com Josefina à porta do camarote imperial.

Pela proximidade que nos faz quase vizinhos, falo sempre com d. Pedro em suas caminhadas pelo tombadilho. Como seus passeios se dão nos três turnos do dia, encontro-o com tal frequência que, não raro, ao divisá-lo à distância, tento recuar ou me esconder, para não parecer excessivo. Mas, assim que me vê, faz-me um sinal e força o nosso reencontro, que tem, segundo me disse, a função de lubrificar seu inglês shakespeariano com a língua que se fala nas ruas de Nova York — por acaso, a minha. É fascinado por expressões modernas como *"Okey-dokey!"* [*o mesmo que "o.k.!" ou "Okay!"*], *"It is raining cats and dogs"* [*Está chovendo muito*] e *"It's the cat's meow!"* [*É formidável!*] e afirmou que gostaria de tê-las ouvido da boca de Lear ou Hamlet.

Todos a bordo sabem que aquele senhor imponente e bonitão é o imperador do Brasil. Mas, como ele não deixa de cumprimentar até os grumetes com que cruza no deque, muitos passageiros se sentem com liberdade para dirigir-lhe a palavra. D. Pedro responde a todos com satisfação, principalmente se forem cidadãos americanos, pela oportunidade de falar com eles em inglês. Há dias, depois de um diálogo com uma família do Alabama, disse-me que não compreendeu uma palavra do que disseram. Tranquilizei-o confessando que, às vezes, também não entendo o sotaque sulista — parece um inglês sem vértebras.

Por estar sempre em companhia de Sua Majestade, tornei-me também uma espécie de celebridade. Todos os passageiros me acenam ao passar e, com frequência, alguns vêm falar comigo. Um deles, um brasileiro alto, sr. Ferrão, embarcado no Pará, não pode me ver sem me fazer perguntas sobre a programação de d. Pedro nos Estados Unidos, as cidades que visitará, datas de partida e chegada, hotéis em que se hospedará e outros detalhes que desconheço ou não sei de cor. É uma curiosidade compreensível, já que muitos dos brasileiros na viagem estão indo para as comemorações do centenário e desejarão ficar perto de seu soberano.

De manhã, o imperador faz uma caminhada de uma hora na companhia do comandante, que regula com ele em idade e a quem chama, como sói, de sr. Markwell, embora este só se refira a si próprio pelo apelido de Bing. Às onze horas, Sua Majestade volta para o camarote, onde tem sua aula diária de sânscrito — sim, o imperador trouxe com ele seu professor de sânscrito! Bem diferente de nosso presidente Ulysses S. Grant, que traria, talvez, um dos seus colegas de pôquer, e os dois se dedicariam a tomar o dinheiro dos incautos. Depois de almoçar, o que sempre se dá em seus aposentos, d. Pedro tira um cochilo de uma hora e sai para o segundo passeio do dia, quando visita as instalações do navio e criva os maquinistas e foguistas de perguntas. Quer saber tudo sobre o funcionamento das máquinas. Nem sempre os rapazes sabem responder e, nesse caso, é o imperador que lhes dá uma aula sobre roldanas e polias, a temperatura da fornalha e a relação de velocidade entre os ventos e as marés.

O resto da tarde é reservado por Sua Majestade para a leitura. Contou-me que, neste momento, está debruçado sobre *American Notes*, o livro em que Charles Dickens — que nos deixou há pouco, em 1870 — descreve sua famosa viagem pelos Estados Unidos em 1842. Como se sabe, naquele ano, Dickens veio a nosso país a passeio e não o apreciou muito. Criticou nosso sistema político, a violência, os jornais, a comida, o provincianismo, a vulgaridade do povo, o hábito de mascar tabaco e cuspir no chão e, principalmente, nossa admiração pelos seus romances, que publicávamos sem lhe pagar royalties. Disse nas nossas barbas que o roubávamos, e tivemos de concordar. Desde então, graças a seu estrilo, a legislação internacional atentou para a questão dos direitos dos escritores.

D. Pedro está impressionado com as descrições de Dickens sobre os Estados Unidos, mas garantiu-me que não se deixará influenciar por elas. Seu roteiro de viagem, no entanto, determinado ainda no Rio antes do embarque, seguirá em detalhes o do romancista. Assim como Dickens, ele desembarcará em Nova York, mas não se demorará muito em nossa cidade. Seguirá de trem diretamente para Chicago e San Francisco, atravessando o país. Então fará aos poucos o caminho de volta, passando pelo deserto de Nevada, Salt Lake City, Omaha, Washington, Baltimore, St. Louis, New Orleans, Niágara, Boston, finalmente Filadélfia — para a Exposição do Centenário — e de novo Nova York, agora para uma estadia mais longa, antes de deixar o país. Verá o mesmo que Dickens. Mas, com 34 anos de diferença entre as duas visitas, certamente conhecerá outra realidade.

Conversei sobre isso com d. Pedro numa caminhada depois do jantar. A prova de que nos enxerga com admiração é que, quando lhe observei que sua viagem seria espinhosa, pelas enormes distâncias a cobrir e por alguns territórios ainda hostis, ele me respondeu:

"Já sei, já sei. Mas eu sou como os ianques — eu vou em frente!"

E, como que para me assegurar dessa admiração — como se precisasse —, disse-me que gostaria de traduzir para o português a letra de nosso hino nacional, o glorioso *The Star-Spangled Banner*. Só precisava que eu lhe passasse por escrito a letra original em inglês.

Prontifiquei-me a fazer isso e logo descobri envergonhado que, por mais que me esforçasse, não sabia o hino de cor! Só me lembrava de alguns versos esparsos e batidos, como o "*land of the free and home of the brave*". Saímos pelo navio em busca de algum americano que nos ditasse a letra completa, mas foi pior ainda — nenhum dos mais de cinquenta americanos a bordo a sabia! O imperador ficou desapontado por nosso desapreço pelos símbolos nacionais e só se consolou quando "Bing" Markwell, revirando seus aposentos, encontrou, entre velhos mapas e lunetas aposentadas, um papel amarelado com as quatro longas estrofes de autoria de Francis Scott Key. Feliz, d. Pedro levou-o para seu camarote e, no dia seguinte, apresentou-me em triunfo a versão do hino em sua língua: "A bandeira estrelada".

Que, infelizmente, não posso avaliar, por não ser uma autoridade em poesia brasileira. Mas, para benefício dos leitores mais estudiosos, aqui vão os primeiros versos:

Sim!, podeis dizer, da manhã ao alvor,
Qual o nosso saudar do crepúsculo o momento
Cujas listras e estrelas, da pugna ao ardor,
Em muralhas, tão nossas, campeias ao vento.

E rojões a brilhar,
Bombas a estourar,
Prova, à noite, dar,
Da bandeira ali estar.

Lá está, de astros cheia, a bandeira a flutuar
Sobre a terra dos livres e dos bravos no lar!

Esta reportagem será postada do Recife, nossa primeira parada. Não foi possível descer em Salvador, por causa de uma epidemia de febre amarela na cidade. O *Hevelius* dirige-se agora para a distante Amazônia, onde fica a cidade de Belém. O Brasil parece não ter fim.

31

DIÁRIO DE WARD "BING" MARKWELL, COMANDANTE DO *HEVELIUS*

[*Arquivo geral da Marinha dos Estados Unidos*]

Hevelius, *5 de abril de 1876*. Escoltados por canhoneiras, adentramos a baía de Marajó na noite de ontem em direção a Belém, capital da província do Grão-Pará, para uma série de homenagens ao imperador. Vindo tanto dos fortes quanto das embarcações pelos quais passamos, o troar dos canhões misturou-se com o som das trombetas que executavam o Hino Nacional brasileiro. Chovia torrencialmente, mas nem isso amainou a disposição dos locais para disparar as salvas e tocar o hino — embora a água entrando pela campânula das cornetas e tubas produzisse sons mais gorgolejantes do que musicais. Por sorte, logo após atracarmos, a chuva parou e deu lugar a um manto de estrelas, competindo com os fogos que espocavam e desenhavam arabescos no céu.

Desembarcamos cedo pela manhã e, do ancoradouro ao Palácio do Governo, palco da recepção a Sua Majestade, nosso cortejo atravessou ruas e praças, cada qual equipada com uma banda militar tocando o mencionado hino. Há um limite para apreciar a audição de hinos — mesmo o mais vibrante deles torna-se intolerável depois da décima audição.

O banquete em honra de Sua Majestade, comandado pelo governador da província, o barão de Pirarucu, foi impressionante. Os salões pareciam ter tido seus lustres, espelhos e cristais polidos à flanela, os tacos dos pisos encerados um a um com pincel de unhas e os talheres tirados de faqueiros nunca usados. Sobre as mesas, uma abundância de peixes, caranguejos e aves, misturados com camarão seco, quiabo, folhas de jambu, chicória, alfavaca e tapioca. Os nomes da culinária local são deliciosos: tambaqui, tacacá, tucupi. Este último é um caldo extraído da mandioca-brava, que me disseram exigir dias de cozimento para eliminar o veneno. Servi-me fartamente dele antes de ter essa informação. Devo dizer que, caso esse cozimento tenha sido insuficiente, digam a Dolores, minha viúva, que o sabor inigualável do pato ao tucupi justificou o meu passamento.

A elite da sociedade paraense paramentou-se para a cerimônia, e quem tinha uma farda para ostentar tirou-a do armário e a envergou, daí talvez o forte aroma de naftalina perpassando pelo ambiente. Diversos diplomatas se fizeram presentes — um deles, o governador de Caiena, onde a França, incrivelmente, faz fronteira com o Brasil! —, além de políticos e luminares da região. Em certo momento depois do jantar, ouviu-se um pigarro coletivo. Eram os oradores limpando a garganta para começar seus discursos. Mas o imperador foi mais rápido e, delicadamente, pediu que, em vez de lidos, os textos dos discursos fossem entregues ao visconde de Cantagalo para sua "posterior leitura e consideração". Isso abreviou tudo e permitiu que, às dez horas da noite, d. Pedro declarasse encerrada a celebração e voltasse para o navio, como era de sua intenção. Ao ver a comida que iria sobrar — falou-se que mil patos tinham sido abatidos para o ágape —, o imperador ordenou que fosse distribuída aos pobres, e com isso muitos daqueles patos não morreram em vão. Não me compete julgar, mas, como este diário é de leitura reservada aos meus oficiais, posso dizer que, no Brasil, é revoltante o contraste entre o luxo dos recintos oficiais e o que se vê do povo nas ruas.

Confesso também a meus oficiais certa preocupação a respeito do sr. James O'Kelly, correspondente do jornal *New York Herald*. Embora profissional e respeitoso em presença dos imperantes, revela-se na intimidade com menos compostura do que deveria. Está apaixonado pela sra. Josefina, filha do visconde de Cantagalo, da comitiva do imperador. Quando me encontra no tombadilho, o sr. O'Kelly não se furta a fazer-me confidente de sua admiração por ela e chega à indignidade de referir-se aos possíveis dotes físicos da jovem senhora, como se lhe tivessem dado esse direito. Hoje mesmo, veio dizer-me (e aqui o cito verbatim) que "aquela pele morena, os cabelos longos e pretos e os grandes olhos também pretos de Josefina parecem conter o oceano nas noites de luar". Isso seria uma descrição apenas poética, se ele não fizesse, com a boca, ruídos obscenos ao declamar essas frases. Repreendi-o severamente e informei-o de que, sendo a suprema autoridade a bordo, abaixo apenas do imperador, posso dar voz de prisão a um passageiro, se necessário. Ele riu e prometeu comportar-se — pelo menos até a chegada do navio a Nova York.

Pois riria menos se soubesse que tem um rival em sua admiração por d. Josefina: um brasileiro embarcado no Pará que não perde uma oportunidade de dirigir a palavra à rapariga. Chama-se Leopoldo Ferrão, é engenheiro químico e, segundo disse, fornecedor de pólvora para o Exército brasileiro. Em caso de confronto com o sr. O'Kelly, levará grande vantagem na munição — o que me será indiferente, desde que estejam longe de meu navio.

O imperador acordou às quatro da manhã de hoje. Perscrutou o horizonte, decretou que fazia bom tempo e ordenou-me zarpar. Às seis menos um quarto, levantamos âncora e deixamos o Grão-Pará, rumo à monumental foz do Amazonas. Como se o mar fosse uma simples continuação do rio, vimo-nos finalmente a caminho de nosso destino.

32

O IMPERADOR DO BRASIL FINALMENTE A CAMINHO DE NOVA YORK

[*Reportagem de James J. O'Kelly,* New York Herald, *5 de abril de 1876*]

A bordo do Hevelius — O navio com d. Pedro II, imperador do Brasil e principal convidado às comemorações do Centenário da Independência dos Estados Unidos, deixou as águas brasileiras e está finalmente a caminho de Nova York. Dentro de dez dias, atravessada a passarela do Atlântico, teremos enfim o encontro das duas Américas, a do Sul e a do Norte. De nossa saída do Rio de Janeiro, no dia 25 de março, até o atracadouro na corroída e embolorada Port Street de Manhattan, terão sido vinte dias de viagem — para mim, vinte dias na companhia desse notável homem público que nos visita.

Das três escalas previstas em águas brasileiras, na Bahia, em Pernambuco e no Pará, só nas duas últimas pude descer a terra para mandar estas reportagens para o *Herald*. Como reportado anteriormente, a cidade de Salvador estava em quarentena devido a um surto de febre amarela, provocado, segundo soube, por um navio vindo de New Orleans. Isso impediu também que as autoridades locais, exceto um médico, subissem a bordo. Por intermédio dele, o intendente da cidade mandou dizer a d. Pedro que emitira uma autorização especial para que ele e sua comitiva desembarcassem. Mas o imperador negou-se a violar a quarentena, no que foi cumprimentado pelo médico, que só lhe fizera o convite por obediência à autoridade. Dias depois, no Recife, foi o imperador que, dizendo-se acometido de náuseas e vômitos, preferiu continuar no navio, concedendo receber a bordo apenas algumas autoridades militares e religiosas. Mas é possível que o alegado incômodo tenha sido causado pela aversão de Sua Majestade a cerimônias — ou assim interpretei a furtiva piscadela que me deu ao comunicar sua decisão ao emissário de terra. Fica esta advertência às autoridades americanas que pretenderem celebrá-lo — d. Pedro é realmente avesso a pompas.

Da descida em Belém do Pará, no entanto, ele não conseguiu escapar. O povo o recebeu com indescritível euforia, vivando-o e cantando o Hino Nacional à sua passagem pelas ruas em carro aberto. Ouvi dizer que, na véspera, a cidade foi tomada pelo grasnido de milhares de patos espavoridos, protestando contra os homens que tentavam capturá-los para abatê-los e servi-los no jantar oficial. Jantar esse que, como previra Sua Majestade, o afetou drasticamente. Habituado no Rio a refeições com carnes leves e canjas, sem vinho, e com uvas como sobremesa, o imperador teve de encarar a culinária amazônica. Serviu-se de maniçoba, uma espécie de feijoada local em que, em vez do feijão, se usa uma folha moída e macerada, formando um caldo grosso e verde a que se acrescentam os pertences do porco. A dita folha precisa ser cozida durante uma semana, imagino que para tirar o amargo, não ficou bem claro. Seja como for, a maniçoba deve ter-lhe caído como dinamite porque, antes das dez da noite, Sua Majestade, ostentando preocupante palor, precisou voltar correndo para o navio. Assim, a recepção se encerrou mais cedo, com a vantagem de que não tivemos de ouvir discursos.

Pena que, ainda com aflições intestinais e recolhido a seus aposentos no *Hevelius*, d. Pedro não pôde assistir à explosão popular que marcou a partida do navio. Foi representado no deque superior por Sua Majestade, a imperatriz, sempre assistida pela jovem Josefina, a quem emprestei de novo um lenço, dessa vez para ser acenado em despedida.

Nova York, aqui vamos!

SEGUNDA PARTE

1

O IMPERADOR DO BRASIL CHEGA A NOVA YORK COM POMPAS DE PLEBEU

[*Reportagem de James J. O'Kelly,* New York Herald, *16 de abril de 1876*]

Nova York viveu ontem um dia histórico. Foi a primeira cidade dos Estados Unidos a receber uma cabeça coroada, representante de uma família quase milenar e um homem por todos os motivos notável: o imperador Pedro II, do Brasil. Enquanto as casas reais da Europa, por medo da rainha Vitória ou por discordarem do nosso modo de vida, nos dão as costas, um monarca tão válido quanto os melhores vem nos abraçar. O imperador é ligado por parentesco àquelas casas reais, mas é também um americano — da América do Sul. Seu país se parece muito com o nosso: é rico, enorme, jovem e destinado a glorioso futuro.

D. Pedro chegou ontem a esta cidade pelo vapor *Hevelius,* acompanhado pela imperatriz do Brasil e por sua pequena comitiva. Até nisto se destaca — ao seu redor, nada de nobres e militares repolhudos, carregados de medalhas e condecorações. Seguindo vontade expressa de S.M., a recepção foi inteiramente despida de solenidade por parte de nosso governo. Revista de tropas, discursos protocolares, troca de presentes inúteis e outras ridicularias do poder, nada disso aconteceu. O *Hevelius* contornou a ponta de Sandy Hook pouco depois das onze horas da manhã, ouvindo-se, quando passou pelas Narrows, as salvas de vários fortes, e, pouco depois, lançou âncora. O imperador dirigiu-se ao passadiço, onde recebeu a delegação formada pelo sr. Carvalho Borges, embaixador do Brasil, e por autoridades locais, que chegaram pela corveta *Alert* e subiram ao navio para saudá-lo.

O secretário de Estado Hamilton Fish, único americano a usar da palavra, declarou: "O presidente dos Estados Unidos me incumbiu de apresentar congratulações a V.M. pela feliz conclusão da viagem, dando-lhe em seu nome e no do povo dos Estados Unidos as boas-vindas na visita com que nos honra. O presidente antecipa igualmente o prazer do encontro pessoal que terá com V.M. assim que for da conveniência de V.M.".

Em inglês, o imperador agradeceu em também breves palavras a delicadeza da recepção e dedicou-se a uma viva conversa com o general Winfield S. Hancock, presente na delegação, de cujo papel na Guerra Civil — comandante da batalha de Gettysburg, em 1863 — d. Pedro parecia ter profundo conhecimento. Que governante é esse que tem olhos para a história de outros países?

Ao falar em inglês, d. Pedro procurou usar expressões aprendidas dos americanos que conheceu na viagem, embora nem sempre muito apropriadas. Em certo momento, afirmou: "*I'm very go-ahead*", querendo dizer talvez que era muito decidido. Mas, quando perguntou ao sr. Fish como estavam o general William Sherman ("outro herói da Guerra Civil") e o poeta Henry Wadsworth Longfellow ("meu poeta favorito"), duas personalidades com quem espera se encontrar, foi o secretário que não soube responder. Para disfarçar, o sr. Fish convidou S.M. a mudar-se para a corveta *Alert*, em que, pela programação, S.M. faria sua chegada triunfal à cidade. Mas d. Pedro, justificando que queria continuar no *Hevelius*, proclamou:

"S.M. ficou no Brasil. Aqui sou *monsieur* d'Alcântara, um simples viajante."

Com isso, o *Hevelius*, cansado da viagem, levantou ferros e, levando a bordo o imperador, singrou anonimamente ao longo do East River, fazendo com que a *Alert*, vazia de autoridades, recebesse enfáticas saudações das embarcações pelas quais passava e das pessoas nas margens, que pensavam estar nela o visitante. No navio, d. Pedro subiu ao tombadilho mais alto e dedicou-se a aplicar o binóculo em todas as direções, desde o compacto casario de Manhattan até as pradarias verdes de Jersey. Já perto das docas, o vento levou sua cartola, mas ele não se alterou nem permitiu que dois marinheiros mergulhassem para tentar pescá-la. "Tenho aqui o meu boné inglês", disse, e tirou-o da capa, substituindo o chapéu perdido.

O navio lançou as amarras no molhe de Martin, no Brooklyn, e, assim que foi arriada a escada, o imperador desceu e foi assomado por dezenas de pessoas que tinham vindo recebê-lo, ouvindo-se uma sarabanda de línguas, sobretudo português e francês. Àqueles que ele parecia reconhecer, d. Pedro deu tratamento pessoal, chamando-os pelo nome ou prenome. Para nós, americanos, era um espetáculo bizarro — onde já se viu um rei recebendo liberalmente abraços e tapinhas nas costas dados por seus súditos?

Em terra, foi oferecida ao casal imperial uma carruagem puxada por uma parelha de cavalos brancos abrindo um cortejo de outras oito carruagens. Mas, mais uma vez, d. Pedro se rebelou e dispensou o aparato. Para surpresa de todos, exigiu que se chamasse uma carruagem de aluguel, entre as estacionadas nas docas, e foi nela que embarcou, acompanhado pela imperatriz e pelo secretário Fish. Ao se apresentar e ser informado sobre a pessoa que iria conduzir, o cocheiro fez uma mesura desajeitada, de quem não estava habituado ao gesto, e espanou os assentos com seu boné.

O coche subiu anonimamente a Broadway, seguido pelo imponente cortejo, o qual atraiu as atenções dos populares nas ruas, desinformados de que o visitante estava no modesto veículo à frente. Ao cruzar a Quinta Avenida na rua 23, saindo na Madison Square, o cavalo se assustou. Havia uma multidão à espera do imperador defronte ao Fifth Avenue Hotel, onde se sabia que ele ficaria hospedado. Mas o cocheiro tranquilizou o animal e o coche deslizou até a entrada do hotel, onde se postava outra comitiva, para saudar e conduzir o hóspede. E só quando ele desceu e tirou o chapéu para cumprimentá-los e à multidão é que se deram conta de que aquele senhor eminente, de barba grisalha e discretamente vestido era o imperador do Brasil.

O Fifth Avenue, o hotel mais luxuoso do país, em cujos salões o presidente Ulysses S. Grant costuma promover reuniões e congressos, recebeu d. Pedro com honras de Estado. Uma grande bandeira verde, tendo no centro um brasão dourado, foi hasteada em seu topo e, ao primeiro sopro da brisa, desdobrou-se em todo o comprimento o pavilhão do Império do Brasil. Como que para a escoltarem, os prédios vizinhos plantaram bandeiras americanas ao redor. Os transeuntes paravam para admirar aquele espetáculo e, graças à intensa cobertura do *Herald*, todos sabiam da presença do monarca na cidade.

Suas Majestades foram instaladas numa suíte com numerosas salas e saletas — que usarão para suas recepções — e uma suntuosa sala de jantar, decoradas com altos espelhos, grandes quadros a óleo (de paisagens americanas, já que não temos muitos heróis a retratar), tapetes de vermelho e azul profundos e treze dormitórios. Os membros da comitiva ocupam o resto do andar.

É o fim de uma jornada que tive a honra de acompanhar, desde a saída do imperador de seu palácio, em São Cristóvão, no Rio, há vinte dias, até sua chegada ao Fifth Avenue Hotel.

Mas só agora começa realmente o espetáculo, que continuarei a cobrir para o *Herald* — o das duas potências frente a frente: d. Pedro II e os Estados Unidos.

2

NOTAS DO POETA SOUSÂNDRADE

[*Do caderno encontrado na feira de antiguidades da praça XV*]

Nova York, 15 de abril. O bufão real está entre nós. D. Pedro, o imperador dos papalvos, chegou à cidade esta manhã com grande aparato e circunstância, financiados por dinheiro público, brasileiro e americano. Pelo que os jornais anteciparam nas últimas semanas, o protocolo para recebê-lo deve ter sido inédito — vapores e iates decorados, formações militares à margem do East River, canhonaços sem fim, carruagens de gala com librés bordados a ouro, cavalos de penacho e, durante o percurso, parasitas de todas as categorias, nas margens e calçadas, para saudar um homem que nunca viram e não sabem quem é. E, por mais que tenham lido a seu respeito nas reportagens viciadas de James O'Kelly no *Herald*, continuam não sabendo. As pessoas aqui acham que um imperador passa o dia sentado em seu trono, com um cetro à mão para, se preciso, dar na cabeça dos súditos que vão lhe entregar seus impostos. Bem, no caso do nosso homem, a descrição só não corresponde porque d. Pedro é preguiçoso até para receber impostos!

Não me dei ao respeito de ir ao cais assistir à chegada do barbaças. Tinha mais o que fazer. Passei a manhã compondo uma nova estrofe de *O Guesa errante*, o épico que estou escrevendo há décadas e que provocará um terremoto no romantismo brasileiro. Um terremoto a princípio subterrâneo porque, de tão impenetrável, meu poema levará cinquenta anos para ser compreendido — maldição de quem escreve cinquenta anos antes. E, mesmo assim, será compreendido em termos. Eu próprio, que sou o autor, só há pouco descobri que "Guesa" e "errante" significam a mesma coisa! Estou pensando em reduzir o título para *O Guesa* ou *O errante*, ainda não decidi.

Neste momento, a parte do poema em que estou trabalhando canta as aventuras do Guesa — ou do errante — na Bolsa de Nova York, donde se chamará "O inferno de Wall Street". A estrofe que escrevi hoje diz:

— Viva, povo, a República,
Ó Cabrália feliz!
= Cadelinha querida,
Rendida,
Sou monarco-jui…i…iz [*Risadas*]

Sim, sei que lembra Dante ou Petrarca, mas qualquer semelhança é mera coincidência. E não me perguntem que cadelinha é essa ou quem está dando risadas. Eu também não sei, mas meus estudiosos no futuro saberão. Saberão inclusive que o monarco-juiz a que me refiro é d. Pedro II — cuja chegada a Nova York tem-me dado tanto nos nervos que ele já se meteu em meu poema sem a minha permissão.

Não fui ao cais, como disse, mas postei-me do outro lado da rua, na Quinta Avenida, para assistir à chegada do farsante ao Fifth Avenue Hotel. Dizem que é o hotel mais luxuoso do mundo, mais até que os de Londres e Paris, o que, a ser verdade, é intolerável. Hotéis de alto luxo ficam bem em impérios mofados, como o britânico, o austro-húngaro ou o brasileiro, não numa república moderna, do povo para o povo, como os Estados Unidos. Pois era para este palácio que tinham de mandar o bufão. Bem feito que, ao descer da carruagem, S.M. tropeçou no degrau, foi ao chão numa cômica cambalhota, e seu chapéu, um ridículo boné inglês, saiu voando. Foi ajudado a levantar-se pelos porteiros e, ao se pôr de pé, espanou a sobrecasaca com irritação e esbravejou com os pobres empregados, como se tivessem culpa por ele ter caído.

Com todo o ódio que lhe dedico, devo admitir que, apesar da barba agora grisalha, d. Pedro parece-me não ter mudado muito em relação à última e única vez que o vi. Foi há 22 anos, em 1854, e por cerca de apenas dois minutos, mas não me esqueço. Eu era jovem, ingênuo e provinciano. Sabedor de que d. Pedro dizia patrocinar escritores e cientistas de sua admiração, enviei-lhe de minha cidade, São Luís do Maranhão, meus versos para sua aprovação

— por acaso, poemas sobre a princesa Isabel, por quem eu então mantinha secreto encantamento. Um deles dizia:

És tão sublime de verdade!
Sp'ritos guiam, ó Isabel!
Oh, incendiada divindade!
Como ao ar voam pombas sem fel
So soft! É inveja a humanidade
Não is... Tens no teu nome Abel!

Confiante em seu aplauso, abalei-me da distante província com meus escravos — Bartolomeu, Dimas, Pedro, Sebastião, Arcângelo, Antônio, Ana e Raimunda — e fui ao Rio de Janeiro pedir a d. Pedro uma bolsa ou um emprego público que me permitisse viver como poeta. Ele me recebeu em audiência no Paço, mas apenas para informar-me de que, como pai e também como poeta, julgara de mau gosto ver atribuída à sua filha uma "incendiada divindade". E ainda mais sendo ela a princesa imperial. As princesas não se incendeiam como as rameiras, rugiu. Para completar a humilhação, ele riu e disse que meu poema era de pé quebrado — que o penúltimo verso tinha uma sílaba a mais! E escorraçou-me de sua presença, ordenando aos lacaios me atirarem na rua.

O contato de meu corpo com as pedras do largo feriu-me a pele, mas me abriu os olhos. Arrasado, lavei minhas lágrimas numa bica do obelisco de Mestre Valentim, ali ao lado, reconfortei-me com uma aguardente numa tasca do Beco do Telles e jurei dedicar-me pelo resto da vida à causa republicana.

Até minha poesia mudou — tornei-me um poeta revoltado, que só escreve aos gritos. Em 1871, mudei-me para os Estados Unidos, a república por excelência, mas pretendo um dia voltar ao Brasil, para sapatear com solas de pregos sobre o caixão do império.

Antes disso, o destino quis que a visita de meu algoz a Nova York nos reunisse nesta cidade. A tipografia de Charlie Burns, onde, a custo proibitivo, imprimo meus livros, fica na rua 14, não muito longe do Fifth Avenue Hotel. Em algum momento das próximas semanas, inevitavelmente passarei por d. Pedro na rua. E, a um metro de distância, terei o prazer de mostrar-lhe a língua.

3

O IMPERADOR DO BRASIL À SOLTA NAS RUAS DE NOVA YORK

[*Reportagem de James J. O'Kelly,* New York Herald, *17 de abril de 1876*]

Sua Majestade, d. Pedro II, imperador do Brasil, desembarcou em Nova York no fim da tarde de sábado, dia 15, e foi conduzido a seus aposentos no Fifth Avenue Hotel. Mas não perdeu muito tempo neles. Depois de refrescar-se em seu banheiro privativo, saiu para dar uma volta — sozinho, dispensando o *concierge* do hotel, que se ofereceu para acompanhá-lo, e mesmo seus assessores brasileiros. Indômito, S.M. tomou um coupé e mandou-o tocar para o Central Park, de que ainda no Rio ouvira maravilhas.

Em lá chegando, o cocheiro conduziu-o a trote lento pelas aleias, atravessou suas pequenas pontes, contornou o grande lago e, a pedido de d. Pedro, parou para que ele descesse e passeasse um pouco a pé. As fotografias de sua chegada ao país, ilustrando nossa reportagem de ontem, fizeram com que circunstantes o reconhecessem no parque e lhe dirigissem a palavra. Satisfeito, o imperador voltou ao veículo e pediu para ser levado à loja Macy's, que sabia ser um empório sem paralelo e que se anunciava como local que vende "absolutamente de tudo".

D. Pedro chegou à grande loja na esquina da Sexta Avenida com a rua 13, entrou anonimamente e, como que para testar, perguntou a um balconista se vendiam café do Brasil em grãos. O empregado pediu-lhe licença e disse que iria procurar. Em poucos minutos, para surpresa de d. Pedro, um homem aprumado e bem-vestido trouxe-lhe um pequeno e compacto pacote do produto brasileiro, embalado por um importador de Massachusetts. O homem fez-lhe uma reverência e se apresentou: era Rowland H. Macy, nada menos que o proprietário do estabelecimento. O funcionário lhe dissera que "um senhor distinto" lhe perguntara por café do Brasil e, deduzindo que se tratava de alguém importante, o proprietário resolvera atendê-lo em pessoa — e qual não foi sua surpresa ao se encontrar diante do homem cuja foto também vira no jornal. Macy presenteou-o com o saquinho e, pela hora e meia seguinte, conduziu-o por uma excursão pelos três andares daquela que chamava de "loja de departamentos", vendendo desde cadarços para sapatos até escafandros para mergulho.

Impressionado, d. Pedro despediu-se e voltou ao coche que o esperava, mandando-o regressar ao hotel. E, ao chegar, teve seu primeiro embaraço. Ao descer do carro e, com toda a naturalidade, afastar-se sem pagar, ouviu um assobio. Virou-se automaticamente — imperadores não costumam atender a assobios, exceto se de surpresa — e viu o cocheiro fazendo-lhe um sinal de "Cadê minha grana?". E, ao também automaticamente enfiar a mão no bolso da calça em busca de moedas, lembrou-se de que nunca andava com dinheiro — alguém de seu séquito sempre pagava por ele. Houve alguns segundos de constrangimento. Por sorte, um dos porteiros do hotel, percebendo o que acontecia, socorreu-o e acertou as contas com o cocheiro: dez centavos, incluindo a gorjeta.

4

DIÁRIO DE SUA MAJESTADE, O IMPERADOR D. PEDRO II

[*Arquivo do Museu Imperial*]

Nova York, 17 de abril de 1876. [...] Minhas primeiras horas em Nova York deram-me a impressão de estar ingressando não em outro mundo, como em viagens anteriores à Europa e ao Oriente, mas em outro tempo: o do futuro. E começou assim que chegamos a este hotel. Ao saber que haviam sido reservados à comitiva imperial os aposentos do último andar, que acontece ser o quinto, temi pelos muitos lances de escada que teríamos de enfrentar. Mas não precisamos subir nem um degrau a pé. Um jovem fardado nos conduziu a um cubículo. Fechou a porta metálica, acionou uma alavanca e sentimos que o ambiente começou lentamente a ascender. Fomos informados de que se tratava de um "elevador", puxado por um cabo acionado por uma instalação hidráulica no subsolo. Sua Majestade, a imperatriz, assustou-se com o ruído da engrenagem, mas, intuindo e já admirando o que se estava passando, amparei-a para tranquilizá-la. O veículo viajou por alguns minutos e, ao imobilizar-se com um tranco, teve sua porta em sanfona aberta pelo lado de fora por um funcionário que já nos esperava — e já no quinto andar. Achei notável! Antevejo que, por causa desse invento, os edifícios subirão a alturas nunca pensadas. E, como já se passaram quase dois dias desde nossa chegada, tenho o prazer de registrar que fiz várias vezes essa viagem, subindo ou descendo de elevador sem nenhuma sensação de náusea ou insegurança.

Os aposentos em que fomos instalados abrem-se para a Quinta Avenida lá embaixo e tomam boa parte do andar. São muito espaçosos, já que o hotel ocupa todo o quarteirão entre as ruas 23 e 24 da avenida — será que me habituarei a essa ideia de darem números aos logradouros, em vez de nomes? Nesta via, segundo me disseram, reside a aristocracia de Nova York, composta, quero crer, das famílias mais antigas, não somente as mais ricas. Seja como for, não sei como toleram o barulho e o movimento de tantos tílburis, seges, gôndolas e coupés rodando dia e noite às suas portas, além da poeira que levantam. Informam-me que esse problema está para ser resolvido com a adoção, pelos carros, de rodas de borracha — borracha brasileira, naturalmente —, que estão sendo desenvolvidas por um senhor chamado Charles Goodyear.

Dispensando acompanhantes, decidi sair para conhecer o afamado Central Park, a fim de compará-lo com o nosso centenário Passeio Público. Exceto por suas dimensões, que me pareceram maiores, nada nesse parque supera nosso jardim. Sua vegetação é paupérrima diante da exuberância do Passeio Público, em que à natureza é permitido expandir-se como num bosque natural. Os ornamentos do Central Park, meros bustos de homens de quepe, são insignificantes se nos lembrarmos da Fonte dos Amores, do Chafariz do Menino e da Estátua do Caçador Narciso, que embelezam o nosso. E nem ousarei me referir à baía de Guanabara, sobre a qual o Passeio Público se debruça. O Central Park mais parece um pasto dentro da cidade.

Mas não foi em vão minha ida a ele, porque tive o prazer de ser reconhecido e abordado por transeuntes que me deram as boas-vindas. Uma senhora, madame Restell, foi particularmente simpática. Disse-me que sua mansão ficava a pequena distância do hotel e colocou-se à minha disposição em caso de alguma eventualidade — mas não creio que eu tenha compreendido em que ela poderia me ajudar.

Fui depois à Macy's, um gigantesco armazém que se desdobra por vários prédios interligados. Seu proprietário, sr. Macy, atendeu-me pessoalmente. Mostrou-me os diversos "departamentos" de sua loja e encantei-me pela seção de brinquedos, com aparelhos que nunca vi — como bonecos que andam sozinhos, acionados por cordas de relógio. Perguntou-me sobre certos frutos da flora brasileira, que, segundo ele, permitiriam fabricar óleos e essências para a higiene pessoal. Prometi acionar nossos naturalistas e mandar-lhe um relatório. Por fim, concluímos, eu e o sr. Macy, que, juntando a riqueza do solo brasileiro à imaginação americana, teremos muito a ganhar.

De volta ao hotel para refrescar-me e trocar os punhos e colarinhos, encontrei no lobby o sr. O'Kelly, a quem dei o relato de minhas aventuras, que ele pareceu anotar em minúcias. Como acordado durante a viagem, vinha nos buscar para uma récita de Shakespeare. A peça era *Henrique V*, com o ator inglês Henry Irving, trazido especialmente de Londres para a temporada, e seria levada no Booth's Theatre. Como o teatro ficava na mesma rua 23, esquina com a Sexta Avenida, a apenas um quarteirão, sugeri que fôssemos a pé. Mas o sr. O'Kelly argumentou que, enquanto os quarteirões que separam as ruas de Nova York são estreitos, os que separam as avenidas são enormes e os carros já nos esperavam — a mim e à imperatriz, ao visconde e viscondessa de Cantagalo e sua filha Josefina. Para meu contentamento, o jornalista é muito atencioso para com os Cantagalo.

Ao chegarmos ao teatro, notei uma pequena aglomeração à porta, que o sr. O'Kelly atribuiu à minha presença. E, de fato, ouvimos meu nome aos gritos. Acenei para as pessoas e os gritos se repetiram. Entramos, instalamo-nos no camarote e, antes de se abrirem as cortinas, minha presença foi anunciada do palco pelo mestre de cerimônias e a orquestra, regida pelo *signor* Operti, tocou o Hino Nacional brasileiro. Todos os olhos se voltaram para nós e fui aplaudido pela casa, obrigando-me a me levantar e agradecer. A cada intervalo da peça, as autoridades de Nova York vinham ao camarote cumprimentar-me, falando coisas amáveis sobre o Brasil e de sua satisfação em ter-me entre eles. A interpretação de Henrique V pelo sr. Irving foi fenomenal, o que comprovei ao acompanhar o texto por uma edição da peça que o sr. O'Kelly levou consigo para me oferecer. Ao fim da récita, o próprio sr. Irving, ainda com as roupas de palco, também veio ao camarote e pareceu entusiasmar-se com o convite que lhe fiz para se apresentar no Rio.

À saída do teatro, surpreendi o sr. O'Kelly com o meu desejo de, àquela mesma hora, visitar a redação do *New York Herald*. Queria ver como funcionava um moderno jornal americano. Respondeu--me, "Será uma honra, Majestade!", e, à vontade por estar em seu país, assobiou para uma carruagem. (Os nova-iorquinos parecem ter desenvolvido um vasto vocabulário de assobios para substituir as palavras.) Embarcamos e, em instantes, chegamos à intersecção da Broadway com a Sexta Avenida, entre as ruas 34 e 35, formando uma praça chamada... Herald Square, em notável homenagem ao jornal. É ali que ele tem suas instalações.

A cena com que deparei ao entrarmos no prédio superou todas as minhas expectativas. Embora já fosse perto de meia-noite, os dois andares tinham todas as velas acesas e pareciam vibrar de excitação. Na grande sala da frente, viam-se duas fileiras de mesas com homens escrevendo em tiras de papel — alguns, usando máquinas próprias para escrever, que eu só conhecia de referências em revistas estrangeiras. Eram os redatores preparando as últimas reportagens do dia. Inadvertido de minha visita, o sr. James Gordon Bennett, proprietário do jornal, não estava presente, mas fui conduzido ao sr. Kimball, creio que gerente da empresa. Ele me apresentou a seu pessoal, do mais importante articulista (o temido Joel Chandler Harris) ao mais humilde mensageiro. Deram-me tanta atenção que era como se não quisessem que eu fosse embora. Numa longa expedição pela oficina, percorremos as seções de composição e montagem das chapas, com confecção a fogo. Por fim, levou-me ao setor mais impressionante da gráfica, onde, tomando quase metade do ambiente em comprimento e altura, impunha-se uma máquina. Era uma rotativa Bullock — nome dado por seu inventor, William Bullock —, capaz do prodígio de imprimir, cortar e dobrar até 18 mil exemplares por hora. É assombroso.

Quando falei ao sr. O'Kelly da ideia de levar o sr. Bullock ao Brasil para instalar maquinário semelhante em algumas de nossas publicações, disse-me que isso já não seria possível, porque o sr. Bullock fora vitimado por sua própria criação. Em 1867, em Filadélfia, ao subir na rotativa para um ajuste dos rolos, ligou-a acidentalmente e teve sua perna direita presa, sugada e esmagada pela engrenagem. Conseguiram livrá-lo, mas a perna gangrenou e ele morreu na cirurgia para amputá-la. Que destino! Lembrei-me de meu infeliz meio-irmão Deoclecio, que também perdeu um braço em sua pequena impressora. Como se vê, a imprensa não esmaga somente reputações.

Finalmente liberado, voltei para o hotel trazendo comigo o primeiro exemplar do *Herald* do dia seguinte, com a auspiciosa notícia de que, graças à minha presença, a cotação do café brasileiro subira exponencialmente na Bolsa de Nova York. Dormi com o jornal sob o travesseiro.

5

RELATÓRIO PARTICULAR DE JAMES J. O'KELLY PARA JAMES GORDON BENNETT JR.

[*Rascunho a lápis, quase ilegível, encontrado entre os papéis de James J. O'Kelly*]

Nova York, 17 de abril de 1876

Prezado sr. Bennett,

Estamos diante de um personagem de [*ilegível*] possibilidades. Fui encontrar d. Pedro no hotel para levá-lo ao teatro, e ele me contou sobre seus deslocamentos pela cidade logo depois da chegada. Dispensou cicerones e [*ilegível*], meteu-se nos carros sozinho, sem um centavo no bolso, e foi aonde quis. No Central Park, perambulou por toda parte e foi abordado por, imagine, nada menos que madame Restell. Encantadora como sempre, ela lhe ofereceu seus préstimos profissionais. Portanto, agora já sabemos que, se Sua Majestade engravidar uma camareira do Fifth Avenue Hotel e precisar de um discreto aborto de emergência, a mansão Restell, com suas fazedoras de anjos, a um passo do hotel, já se dispôs a atendê-lo. Tive de me esforçar para não rir quando me falou dela e, naturalmente, não lhe revelei de quem se tratava, para não vexá-lo.

De lá, d. Pedro foi à Macy's comprar café. Rowland Macy o descobriu entre os clientes e foi falar com ele. Espero que o velho Rowland tenha se lembrado de calçar luvas para d. Pedro não perceber a escandalosa estrela azul que ele traz tatuada nas costas da mão, herança de seus tempos, não muito nobres, de grumete, contrabandista e rato de cais. O imperador não deve estar [*ilegível*] a lidar com gente tatuada... Mas parecem ter se dado bem, porque falaram de negócios e descobriram que o Brasil e a Macy's têm o que vender e comprar um do outro.

Na hora combinada, fui ao Fifth Avenue buscá-lo e à sua comitiva para levá-los ao Booth Theatre. Ao chegarmos ao teatro, d. Pedro atravessou a multidão que o aplaudia e dirigiu-se à bilheteria para comprar os ingressos! Expliquei-lhe que não precisava, que eram convidados do sr. Booth, o dono do teatro — o qual lamentava não recebê-los pessoalmente por estar visitando suas casas de espetáculo em Londres, mas seria representado pelo sr. Irving, talvez o maior ator shakespeariano do mundo. Entramos, e a plateia mal assistiu ao espetáculo, por não tirar os olhos daquele inconfundível senhor no camarote. Todos sabem de quem se trata e parecem ter muita [*ilegível*] por ele.

Para completar, como já sabe, à saída do teatro, d. Pedro decidiu de repente visitar o *Herald* — uma ideia tão súbita que pegou até a mim de surpresa. Como avisar disso ao senhor? Só havia um jeito: enquanto ele e seus acompanhantes subiam e se acomodavam no carro, despachei outro cocheiro para o seu endereço na York Avenue, a fim de avisá-lo e levá-lo ao jornal a tempo de encontrar o imperador. Ao chegarmos, falei desse plano ao sr. Kimball e ele prolongou quanto pôde a excursão de nosso visitante pelo jornal, para que o senhor tivesse tempo de chegar. Mas em vão — pelo visto, o senhor estava fora de casa, porque não foi encontrado pelo cocheiro. O grande momento foi quando levamos d. Pedro a conhecer a Bullock, no exato momento em que ela despejava a primeira edição do dia. Ele se apaixonou pela máquina e só faltou mandar embrulhá-la para levá-la para seu país. [*Longo trecho ilegível.*]

D. Pedro é o oposto desses [*ilegível*] coroados que arrastam pelo mundo seus títulos de nobreza e bolsos furados, sobre os quais lemos nos telegramas do exterior. É um homem prático, interessado em tudo e sempre pronto para a ação. Sugiro começarmos a insinuar que ele seria uma boa alternativa à sucessão do presidente Grant, que começará daqui a pouco. Quem sabe ele se converteria à república e aceitaria concorrer à nossa presidência? Afinal, vive se dizendo um ianque. E nem a religião seria impedimento, já que, pelo que observei, é pouco ou nada católico.

Sei bem que estou propondo uma fantasia — mas que ajudaria a vender jornais e nos daria um bom pretexto para editoriais de oposição.

Cordialmente,

O'Kelly

Em tempo: Pela urgência e importância da missão, o cocheiro que mandei à York Avenue para procurá-lo me custou dois dólares.

6

NOTAS DO POETA SOUSÂNDRADE

[*Do caderno encontrado na feira de antiguidades da praça XV*]

Nova York, 16 de abril. Ontem, depois de minha bile chegar aos píncaros pela chegada de d. Pedro a esta cidade, fui passar algumas horas numa taberna de Waverley Place, em Greenwich Village. É o bairro dos poetas ranzinzas, fracassados e pobres, como eu. O estabelecimento fica no térreo do The Earl, um velho hotel onde, há trinta anos, viveu um dos escritores que mais admiro: o falecido Edgar Poe. Que homem! Ninguém o entendeu em seu tempo, assim como eu jamais serei entendido em qualquer época. Não importa. Eu daria um braço para ter escrito o seu poema "The Raven", o corvo, que um dia pretendo traduzir. Poe residiu por algum tempo num quarto do segundo andar do Earl, povoado de camundongos. No começo, ele achava que os bichinhos eram apenas fruto de seus delírios alcoólicos. Quando viu que eram reais, adotou-os — servia-lhes miolo de pão embebido em conhaque. Davam-se tão bem que, quando Poe foi morar em Baltimore, os camundongos o acompanharam.

Ao me dirigir à minha mesa habitual, no fundo da taberna, encontrei-a ocupada por uma mulher de estranha figura — muito alta, magra, traços belos e severos e cabelo preto cortado bem rente, mas com uma inesperada franja loura sobre os olhos verdes. Cabelo de duas cores! — nunca tinha visto. Estava sozinha, fumando cigarrilha e tomando uma bebida também verde, num copo longo. Não pareceu se incomodar quando parei à sua frente, mudo, meio apatetado. E, como se adivinhasse meus pensamentos, disse: "Antes de tudo, este lugar não é seu. É público. Se quiser, puxe uma cadeira e sente-se".

Instintivamente obedecendo-lhe, sentei-me. Ela continuou:

"Meu nome é Charlotte Burns. Sou ativista, feminista e sufragista. Luto pelo direito das mulheres ao voto, para livrar o mundo de zebras como você, que julgam poder dirigi-lo. Você é brasileiro e se chama Sousa Andrade, mas ainda não decidiu se quer chamar-se Sousa Andrade, Sousandrade ou Sousândrade. Por que não tenta Andradêssousà? Diz-se poeta, mas vive de bicos degradantes, como dar aulas de francês para matronas de papadas e verrugas, traduzir receitas de xaropes para revistecas de farmácia de seu país e colaborar em *O Novo Mundo*, folha mensal em português editada em Nova York por outro brasileiro, só que esperto, chamado José Carlos Rodrigues. Para lhe agradar, submete-se a escrever editoriais contrários às suas convicções. Dedica-se a espanar os móveis da redação e só falta lavar as cuecas do sr. Rodrigues. Esqueci alguma coisa?"

"Não", respondi, depois de botar o queixo de volta no lugar. "Como sabe tudo isso a meu respeito?"

"Por você mesmo", ela disse. "Sou filha de Charlie Burns, em cuja gráfica na rua 14 você imprime os seus poemas. Meu pai vibra quando você os leva. Não entende uma palavra do que está escrito, mas, ao compô-los, lê-os em voz alta e acha a sonoridade hilariante. Outro dia, reuniu um grupo de clientes para ler em voz alta uma de suas estrofes, e eles quase estouraram de rir. Leram-na tantas vezes em coro que até eu a decorei:

— Bear... Bear é ber'beri, Bear... Bear...
= Mammumma, mammumma, Mammão!
— Bear... Bear... ber'... Pegàsus...
Parnasus...
= Mammumma, mammumma, Mammão.

E, ao ler a estrofe que me custou tanto trabalho, Charlotte Burns ria tanto que sacudia sua ridícula franja loura.

Humilhado e ofendido, dei-me conta de que, ingenuamente, considerava o sr. Burns, seu pai, um amigo. Via-o até como um confidente, alguém com quem eu podia partilhar minhas agruras em Nova York — como morar num lugar chamado Manhattanville, bairro que, apesar do nome, fica na periferia da periferia, a uma hora de trem de Battery Park. É quase o sertão.

Eu me pergunto o que mais esse Burns de uma figa, a quem entreguei minha intimidade, não deve ter contado à sua filha. Imagino que ela saiba que, certa vez, descobri onde meu herói Walt Whitman morava no Brooklyn e postei-me durante três dias e três noites à sua porta, para ter o prazer de vê-lo chegar e sair. Mas o sr. Whitman, ao me ver plantado ali, interpretou mal o meu gesto e chamou a polícia. Eles me levaram sob a suspeita de que eu estava planejando arrombar a casa do poeta. Argumentei que nunca seria capaz de fazer isso com um homem que eu idolatrava, e que eu sabia de cor as 432 páginas de seu poema *Folhas de relva*. Para se certificarem de que eu dizia a verdade, acharam um exemplar do livro e me ordenaram recitá-lo, da primeira à última página — e que, se eu errasse algum verso, ia apodrecer na cadeia. Mas eu não estava mentindo e recitei o poema com grande classe e sentimento, sem perder uma palavra, e, lá pela página 91 — "*I am he that aches with amorous love...*" —, eles me pediram desculpas e me mandaram embora. Perguntaram-me até se eu não queria declamar uns trechos num próximo baile da polícia!

"Está bem, srta. Burns", eu disse a ela. "Agora que me desmoralizou, o que quer de mim?"

"Aliciá-lo para a nossa causa, sr. Andrade. Seu poema, 'O inferno de Wall Street', é incompreensível, mas tem uma dicção contundente. Sem saber, o senhor é um grande humorista e panfletário. Mostrei seu material a nossa líder, sra. Lucy Stone, e ela me autorizou a sondá-lo. Queremos contratá-lo para escrever slogans para nossas passeatas sufragistas. Oferecemos-lhe um centavo por palavra."

A proposta era irresistível, mas, para não parecer açodado, respondi-lhe que iria pensar. Ela sorriu, levantou-se e saiu. Sabia que eu aceitaria a proposta. Já contando com aquele dinheiro, resolvi comemorar e pedi a Mack, o garçom, que me trouxesse a mesma bebida verde que servira à moça. Ele me trouxe um copo longo com a beberagem e disse que se chamava absinto. Assim que dei o primeiro gole, senti seu curioso sabor adocicado e alto teor alcoólico, quase proibitivo para uma mulher.

Não pude analisar melhor o que estava bebendo porque, em seguida, um homem se aproximou da minha mesa, sentou-se sem ser convidado e, falando perfeito português, apresentou-se:

"Boa tarde, sr. Sousa Andrade. Meu nome é Leopoldo Ferrão."

7

O CANDIDATO IMPERIAL

[*Narrador*]

Mal lhe deitou os olhos e se apaixonou por d. Pedro II, Nova York teve de se despedir temporariamente dele. Como previsto, ele partiu para sua longa viagem pelo país, com duração de sessenta dias. O imperador e parte de sua comitiva foram aclamados ao chegar ao Grand Central Depot, estação ferroviária na rua 42, e embarcaram nos vagões comuns da Pullman Pacific Car. Na véspera, bem ao seu estilo, Sua Majestade recusou o trem de luxo que o governo dos Estados Unidos lhe ofereceu. Em compensação, aceitou que George M. Pullman, o tubarão dos transportes, pusesse à sua disposição uma composição extra, simples, mas confortável. O próprio sr. Pullman juntou-se à viagem para se assegurar de que, com tão ilustre passageiro a bordo, seu trem tentaria cumprir os horários, enfumaçar menos os pulmões dos passageiros e não chacoalhar tanto nos trilhos.

A imperatriz Teresa Cristina ficou em Nova York com o resto da comitiva e, pelos dois meses até o reencontro com o marido, será levada a visitar igrejas, asilos, orfanatos, hospitais, hospícios, leprosários e outras instituições condizentes com sua nobreza. Ao saber dessa programação pela viscondessa de Cantagalo, Sua Majestade aquiesceu disciplinadamente, mas, num súbito assomo de independência, avisou que não se limitará a compromissos de caridade. Quer conhecer também o armazém do sr. Macy, de que o imperador falou maravilhas, as modistas do Garment District — está precisando renovar suas gavetas de toucas e camisolas —, as confeitarias da Broadway e deu a entender que só não esquiará no rinque do Central Park por falta de gelo. Quem no íntimo vibrou com isso foi a jovem Josefina, porque lhe dará pretexto para ver alguém que ela reencontrou nas proximidades do hotel: o sr. Ferrão. Por uma dessas coincidências, ele está hospedado numa modesta estalagem defronte à lateral do Fifth Avenue Hotel, e, afastando as cortinas, os dois podem se ver e trocar sinais pelas janelas.

O *New York Herald* aproveitou que d. Pedro vai percorrer boa parte dos Estados Unidos para disparar um de seus ataques ao presidente Grant e aos políticos em geral. Num artigo de primeira página intitulado "Nosso hóspede imperial", publicado no dia da partida do imperador (sem assinatura, mas com o inconfundível estilo de Joel Chandler Harris), o *Herald* não deixou um único tijolo em pé. Exemplos:

"Ainda não sabemos quais são as impressões de d. Pedro sobre Nova York, mas não é difícil imaginar. Ele deve ter observado uma cidade de edifícios portentosos, ruas cujo sistema de esgoto é inspirado nos melhores pântanos, e, com nosso intenso trânsito de veículos, os dejetos deixados pelos animais o apresentaram a cheiros dignos de um curral.

"Durante sua excursão pelo país, o imperador verá esplendor e sujeira, abundância e pobreza e virtude e crime em escala continental. Verificará que, com toda a fantasia sobre a igualdade de oportunidades, nosso sistema de governo serve apenas a um conluio de interesses privados. Sua Majestade descobrirá um serviço público com todos os órgãos do Estado entregues a corruptos. Se olhar para o nosso sistema religioso, observará grandes escândalos em nome da fé — congregações inteiras em transe à voz de qualquer charlatão e comprando terrenos no céu como se este ficasse ali no Wyoming.

"Se for a Washington, d. Pedro verá uma Câmara de Representantes dedicada a camuflar negociatas e secretários de Estado na iminência de comparecer à barra do Senado e dela saírem algemados como criminosos comuns.

"Como estudioso da história americana, d. Pedro deve estar curioso para saber como tratamos os indígenas nas reservas que generosamente lhes concedemos depois de lhes roubar as terras. Pois ninguém mais apto a instruí-lo do que Orville Grant, irmão do presidente e seu conselheiro nessa questão. Saberá como continuamos protegendo os invasores de seus territórios para que os negocistas mancomunados com Orville Grant não percam seus lucros fabulosos.

"E se, apesar de tantos motivos de desapontamento, Sua Majestade não resolver apressar a volta ao seu belo e enorme império, talvez considere uma ideia que circula há dias entre os analistas mais lúcidos. A de que d. Pedro não ficaria mal numa chapa concorrente às próximas eleições para presidente dos Estados Unidos..."

Assim que o trem com d. Pedro partiu, um estafeta surgiu correndo na plataforma. Saltou para o trilho e, pulando os dormentes em alta velocidade, agarrou-se à traseira do último vagão e conseguiu entrar para entregar ao imperador um exemplar do jornal. Era uma cortesia do *New York Herald*. D. Pedro agradeceu o presente — não tinha uma moeda para dar ao garoto —, leu atentamente o editorial e recebeu com um sorriso a sugestão de sua candidatura à presidência.

Aliás, ele já tinha pensado nisso.

8

CARTA DE SUA MAJESTADE, O IMPERADOR D. PEDRO II, PARA A CONDESSA DE BARRAL, EM PARIS

[*Em papel timbrado de The Pullman Pacific Car Co.; tinta roxa*]

[*Arquivo do Museu Imperial*]

San Francisco, 29 de abril de 1876

Minha cara condessa,

Espero que esta a encontre e ao nosso rapaz em excelente saúde. A minha, como pode ver pela cidade de onde lhe escrevo, parece estar excelente, considerando-se quanto tem sido exigida por esta viagem. Deixando Nova York no dia 18 último, levamos uma semana para cobrir 3 mil milhas de território, o que, no sistema métrico francês que instituí no Brasil e tantos ainda relutam em adotar, equivale a 5 mil quilômetros. É um cruzeiro continental, comparável a se atravessar a Europa de Lisboa a São Petersburgo. E, como todo cruzeiro, com seus momentos prazenteiros, outros tediosos e alguns francamente irritantes.

Um desses sempre acontece quando o trem para nos entrepostos para se abastecer de água ou lenha. As populações à margem da ferrovia parecem saber de minha presença no comboio e se concentram nos bebedouros para saudar-me e exigir a minha presença na varanda do trem. "Queremos o imperador! Queremos o imperador!", gritam. Nas primeiras vezes, atendi-os. Chegava à janela e acenava com o chapéu, mas nem sempre correspondia às suas expectativas. Certa vez, ouvi nitidamente um homem dizer: "Isto é o imperador? Não é grande coisa. É só um homem comum". Talvez esperassem um acrobata ou um urso de feira. A partir daí, recolhi-me e deixei de aparecer. Mas eles continuaram a se concentrar nas paradas e me chamar. E, quando se convenciam de que eu não sairia, ficavam revoltados. Na parada em Cleveland, Ohio, chegaram à audácia de subir à balaustrada do trem, e o pobre visconde de Cantagalo, postando-se à porta para lhes barrar a entrada no vagão, teve seus calos miseravelmente pisados.

A pontualidade não parece ser uma preocupação dos americanos. É raro que o trem obedeça aos horários de chegada e partida, o que, pelo visto, não perturba o maquinista nem os passageiros. Depois do jantar, tento distrair-me espiando a paisagem pela janela, mas pouco se distingue na escuridão, exceto as luzes tremelicantes de algumas casas. Na noite passada, no entanto, vi, à margem da linha, uma sucessão de línguas de fogo em movimento, enormes labaredas retorcendo-se como espíritos do mal que tentassem subir ao céu. Uma visão dantesca, aterradora. Esperei pelo pior, mas soube hoje de manhã que eram as fornalhas das usinas metalúrgicas, funcionando dia e noite, e que provavelmente eu veria outras como essas.

O sr. O'Kelly acompanha-me na viagem e, sempre que possível, recebo-o para conversarmos. Informa-me sobre cada pequena cidade pela qual passamos e diz-me que todas procuram ter um sistema de educação e saúde equivalente ao das grandes cidades. E, de fato, ao passar por elas durante o dia vemos bonitos edifícios públicos, que ele me diz serem escolas e hospitais. Ao mesmo tempo, por causa dos incidentes em Cleveland, parece preocupado com minha opinião sobre seus conterrâneos. Tento tranquilizá-lo, dizendo que não se pode exigir maneiras delicadas de um povo de forte personalidade como os americanos. São *les défauts de leur caractère*, respondi, sem precisar traduzir, porque o sr. Kelly fala excelente francês.

Pernoitamos em algumas escalas durante a viagem, mas só pude fazer minhas expedições depois de me livrar das homenagens que as autoridades insistiam em me prestar. A primeira parada foi em Chicago, cidade de se tirar o chapéu quando se sabe que foi fundada há menos de meio século e que há apenas cinco anos sofreu um incêndio que quase a devorou por inteiro. Disseram-me que o fogo começou num estábulo de feno, provocado pelo coice de uma vaca num lampião. Estranhei que acidente tão localizado pudesse provocar um sinistro de tais dimensões, e só então esclareceram que aquele dia estava excepcionalmente seco e que o fato de a maioria das casas ser de madeira foi decisivo para a propagação das chamas. Como os bombeiros eram insuficientes, os cidadãos ajudaram a contê-las, indo buscar água aos baldes no lago Michigan e transportando-os em filas de milhares. Apagado o último foco na cidade, já começaram a reconstruí-la, só que, em vez de madeira, passaram a usar argamassa de arenito e tijolo. E que palácios estão subindo! Chicago é uma página das *Mil e uma noites*.

Na cidade seguinte, Omaha, impressionei-me com as usinas de fundição, que são grandes galpões onde o minério bruto é reduzido a barras. É o de que precisamos no Brasil, já que somos tão ricos em minérios. Os americanos parecem capazes de transformar qualquer matéria-prima. Mas o que me aturdiu foi a visita a um grande aquário onde mantêm colônias de um peixe a que chamam "*devil fish*", com cabeça de peixe e corpo de lagarto. Pescaram-me um para exame e achei-o extraordinário, talvez por lembrar-me as feições do conde d'Eu. Pedi que o enviassem ao Rio, onde será de grande interesse para nossa comunidade científica.

Ao deixarmos Omaha, mudamos de trem, passando para os carros da Union Pacific. Em poucas horas, entramos num território de vastos descampados, propício, segundo soube, a encontrar búfalos e índios. Búfalos, não vimos nenhum — parece que o sr. "Buffalo" Bill, famoso caçador e hoje empresário circense, acabou com eles. Índios, sim. Vimos à distância um grupo da etnia pawnee, com trinta ou quarenta indivíduos entre homens, mulheres e crianças. Iam a pé, marchando tristemente em direção à sua reserva, escoltados por um pelotão da Cavalaria. Os soldados estavam lá para protegê-los dos seus inimigos, os sioux, que quase os devastaram numa guerra recente. Nessas guerras, os sioux levavam vantagem — tinham rifles e cavalos, que compravam dos brancos ou roubavam das fazendas. Os pawnee só tinham flechas e bravura.

De repente, em Wyoming, tudo à nossa volta mudou. Deixamos para trás as terras baixas e áridas e, de todos os lados, ergueram-se verdadeiros monumentos da natureza. Eram as Montanhas Rochosas, com seus cânions, picos de neve, lençóis de gelo e matas de pinheiros, tudo em grande escala. Pela primeira vez a comitiva imperial esqueceu por instantes o Brasil e se deslumbrou com a paisagem deste país.

Em todas as cidades em que paramos, fui levado a instituições que atestam o caráter adulto e responsável dos americanos. Por isso, não contávamos com o que nos esperava em Salt Lake City, última parada antes de San Francisco. É a cidade dos mórmons, e aceitei a sugestão de assistir a um de seus ofícios religiosos. Ofereceram-me um lugar entre os santificados, mas preferi um assento no meio do público. O ofício foi iniciado pelo canto de hinos por senhoras e moças, acompanhadas pelos belos efeitos de um harmônio. Seguiram-se vários rituais de grande solenidade e depois foi ministrada a comunhão à maioria da congregação. A comunhão mórmon é feita com pão e água, e eles têm uma boa explicação para isso — o vinho pode ser adulterado, mas a água é sempre pura. O pão é partido em côdeas, com as mãos, e servido aos que desejam comungar. A água é servida em taças de duas asas e passa também de mão em mão.

Após a comunhão, o apóstolo Taylor, um senhor de cabelos brancos e traços fortes e expressivos, além de próspera aparência, pronunciou uma oração em defesa da poligamia. Sim, da poligamia! Caiu-me o queixo. Ele a justificou dizendo que a influência direta da divindade era tão necessária hoje como no tempo dos profetas. Confesso que não entendi a relação, talvez pelo meu choque ao ver confirmada a informação que já tinha, de que, apesar de tantas leis impedindo a imoralidade em seu país, os americanos permitem a existência de uma seita poligâmica. A poligamia se opõe ao espírito da civilização. Equivale a, em plena era das rotativas, voltarmos a escrever em papiros.

Gostaria de ter ouvido o restante do sermão e tê-lo discutido com o apóstolo Taylor, mas fui convocado a sair às pressas pela iminente partida do trem para San Francisco. Cidade a que chegamos há dois dias e de onde pretendo escrever-lhe com mais vagar antes de iniciarmos nossa viagem de volta para Nova York.

No Rio, tudo parece estar correndo esplendidamente. Pelo menos, Isabel ainda não me importunou por carta ou cabograma. O que significa que, sob a orientação de Caxias e Cotegipe, a princesa está levando o império a contento.

Muitas saudades, condessa. Se puder, escreva-me para o Fifth Avenue Hotel, em Nova York, onde estarei de novo dentro de sessenta dias.

Recomendações ao nosso rapaz.

Para sempre, sempre

Seu

P.

9

CARTA DE LEOPOLDO FERRÃO PARA O DR. CUPERTINO RAPOSO, NO RIO

[*Cópia encontrada entre os papéis de James J. O'Kelly*]

Nova York, 29 de abril de 1876

Considerado dr. Raposo,

Saudações republicanas!

Esta é para atualizá-lo sobre as démarches empreendidas até agora segundo os planos que estabelecemos no Rio. Como lhe antecipei em nossa reunião de 5 de março em seu gabinete, embarquei dias depois no paquete *Gaivota* para Belém do Pará, aonde cheguei uma semana depois, e fiquei à espera do *Hevelius* trazendo a bordo o imperador. A intenção era não ser associado à viagem oficial desde a partida. Quando o *Hevelius* fez escala naquela cidade, tomei-o também e completei a viagem para Nova York a poucos metros do homem que nossa causa republicana almeja eliminar.

Durante esse trecho do percurso, que durou quase vinte dias, estive várias vezes nas proximidades de Sua Majestade. É óbvio que, pela aglomeração de passageiros nos estreitos limites de um navio, qualquer ato intempestivo seria logo percebido — e, no caso do imperador, mais ainda, por ele estar sempre cercado de pessoas da sua comitiva. Mas o navio, como sabe, nunca esteve nas nossas cogitações como palco do objetivo a que nos propusemos. Da mesma forma, na escala do *Hevelius* em Belém, seria fácil imiscuir-me no povo que o cercou na rua quando ele a percorreu a pé e atravessá-lo com um punhal. Um atentado contra a sua vida em território brasileiro, no entanto, não teria valor do ponto de vista estratégico. Poderiam reduzi-lo a um crime comum ou ao gesto de um fanático, um tresloucado. Não. O que queremos é um ato de alcance internacional — nos Estados Unidos.

Para isso, estamos tendo a sorte de contar com a ajuda, sem que ele saiba, do jornalista americano James O'Kelly. Com seus panegíricos diários para o *New York Herald*, está fazendo do imperador uma celebridade em seu país. Criou em torno de d. Pedro uma aura tão fantasiosa de intelectual e progressista, de um quase republicano, que conseguiu apagar o preconceito americano contra cabeças coroadas, nobres e aristocratas. Nova York apaixonou-se pelo imperador, e, como seus deslocamentos pela cidade eram anunciados com antecedência, ele arrastou uma multidão aonde quer que fosse. Mesmo quando saía incógnito, alguém o reconhecia e logo se formava uma aglomeração. Por mais que isso seja conveniente aos nossos planos, é um espetáculo quase intolerável para quem quer ver a monarquia brasileira extirpada da face da Terra.

D. Pedro está agora em excursão pelo país. Foi primeiro ao Oeste, onde ficou por alguns dias, e de lá fará uma extensa viagem de volta, com muitas escalas pelo caminho — sendo a principal sua visita à Exposição do Centenário, em Filadélfia, que ele inaugurará ao lado do presidente Grant. Quando finalmente chegar a Nova York, dentro de dois meses, já terá se tornado nacionalmente famoso. Só então agiremos, e nossa ação terá repercussão mundial.

Enquanto ele estiver fora, continuarei em Nova York, estudando a melhor maneira de concretizar nosso plano. Instalei-me no Dover, um hotel de segunda linha na rua 23, de frente para a lateral do Fifth Avenue Hotel. De minha janela posso às vezes observar os movimentos de Sua Majestade, a imperatriz, que permaneceu em Nova York com parte da comitiva e deverá cumprir uma suave programação de compromissos. Dos quais saberei todos os detalhes porque, por mera "casualidade", acabo de renovar meu conhecimento com alguém muito próximo dela: sua jovem camareira Josefina, com quem mantive educadas palestras no navio. Ela parece caída por mim — o que continuarei a estimular porque, por ela, saberei dos futuros movimentos do imperador que escapem à cobertura do jornal.

Dentro de alguns dias, terei feito os primeiros contatos com certos elementos de Nova York, indispensáveis à consecução de nosso plano. Mantê-lo-ei informado dos andamentos.

Com os respeitos do

Leopoldo Ferrão

P.S.: Aproximei-me ontem também de Joaquim Andrade de Sousa, ou Ândrade de Sousa, não sei ao certo. É um jornalista maranhense aqui residente há alguns anos e que odeia o imperador por razões particulares. Foi-me recomendado no Rio por um de nossos confrades, especialista em atentados a bomba. Não creio que o sr. Ândrade entenda de explosivos, mas pode nos ser útil para a redação de manifestos ou comunicados à imprensa. É um homem excêntrico e impulsivo, aparentemente fácil de tapear.

Mais saudações!

L. F.

10

O IMPERADOR DO BRASIL É UM *YANKEE GO-AHEAD*

[*Reportagem de James J. O'Kelly,* New York Herald, *1º de maio de 1876*]

"O imperador ianque!" — é assim que o imperador brasileiro Pedro II tem sido chamado pela imprensa em todas as cidades por que passou desde que deixou Nova York. E Sua Majestade não para de justificar esse epíteto. Os jornalistas que vão esperá-lo na estação ficam atentos à saída das carruagens de luxo com o séquito imperial. Mas, quando se dão conta, d. Pedro já tomou um carro de aluguel e mandou tocar para algum ponto de seu interesse na cidade, seja uma exposição de floricultura, um museu de cobras e lagartos ou uma associação de surdos e mudos. E como ele fica sabendo desses lugares? Pelos outros passageiros do trem, com quem conversa antes da chegada. À entrada em cada cidade dá-se então uma perseguição, com os repórteres desabalando-se no rastro de d. Pedro e sempre chegando atrasados — porque ele já está em outro lugar.

Não que Sua Majestade queira se esconder da imprensa. Ao contrário, nunca um visitante de sua estirpe teve uma convivência mais calorosa conosco. Em Chicago, os mandachuvas locais resolveram prestar-lhe uma homenagem a portas fechadas, sem a presença dos repórteres. Mas estes passaram um bilhete a d. Pedro por intermédio de um servente de água e café, e ele ordenou que se abrissem as portas. Os jornalistas entraram, e d. Pedro deu mais atenção a eles do que aos figurões, para irritação destes.

Sua reação a certos imprevistos é também notável. Em Omaha, uma senhora negra que o cumprimentava deixou cair sem querer o lenço que trazia à mão; o imperador curvou-se e o apanhou para ela. Em Sacramento, ao visitar uma oficina de máquinas da Union

Pacific, encontrou à porta um homem de forte sotaque alemão, com um chapéu-coco enterrado à cabeça e um charuto entre os dentes, que não se dignou a compor-se à chegada do visitante. D. Pedro não se alterou — tirou o chapéu para cumprimentá-lo e só então o homem, envergonhado, se tocou. E, em Winnemuced, última parada antes de San Francisco, houve o seu encontro com o cacique piúte "Capitão" Natchez. O diálogo entre eles foi delicioso, com o imperador descobrindo que o índio falava inglês melhor do que ele, tinha duas *papoose* (mulheres) e não gostava de trabalhar. D. Pedro só desaprovou o último item.

A comitiva atravessou Oakland, transpôs de ferry a baía e, ao desembarcar no cais, em San Francisco, tomou a carruagem que a conduziu ao Palace Hotel. E, como acontecera na chegada a Nova York, o imperador não quis saber de descanso. Seguido por seus extenuados acompanhantes e por este repórter, foi ao concerto da Orquestra Gilmore, no Mechanics' Pavilion, cujos ingressos já tinham sido reservados por telégrafo. Escutou tudo atentamente e, ao fim, desceu ao camarim para cumprimentar o sr. Gilmore e exprimir sua satisfação pela execução dos trechos mais difíceis. O maestro retribuiu levando sua orquestra imediatamente ao Palace, em cujo pátio executou uma serenata para Sua Majestade. O hotel estava iluminado do térreo ao telhado, e os hóspedes acompanharam tudo pelas janelas. E d. Pedro, visivelmente deleitado, ficou de pé até a uma da madrugada.

O imperador sente-se tão à vontade no Palace que não pensa duas vezes antes de estabelecer relações com quem o procura. Logo na manhã seguinte à chegada, foi apresentado a um eminente hóspede fixo do hotel, o sr. John Paladin, egresso da Academia Militar de West Point e oficial reformado da Cavalaria, com notável atuação durante a Guerra Civil. O imperador encantou-se com a variedade de assuntos dominados pelo sr. Paladin: vinhos, piano, ópera, Shakespeare (*Macbeth* é uma de suas especialidades — parece saber a peça de cor), filosofia e xadrez (jogaram algumas partidas, e ele, sempre galante, deixou que d. Pedro ganhasse). Profissionalmente, o sr. Paladin se apresenta como um prestador de serviços especiais, e talvez essa seja, de fato, a sua melhor definição. Mais exatamente: ao ser solicitado por alguém em dificuldades fora do alcance da lei comum, ele troca suas casacas, cortadas pelos melhores alfaiates de San Francisco, por roupas do Oeste, e parte a cavalo para o local do problema. Seu cartão de visita, por sinal, é ilustrado pelo cavalo do xadrez, e ele leva no alforje seu instrumento de trabalho: um Colt 45 exclusivo da Cavalaria. Seu dístico profissional no cartão se limita, aliás, às palavras: "Tenho revólver. Posso viajar".

A reputação do sr. Paladin cobre todo o território, e a remuneração por seus serviços, nada desprezível, costuma ser de mil dólares, mais despesas. Embora eventualmente faça uso da arma, o sr. Paladin parece manter-se dentro dos limites da legalidade — pelo menos, até hoje, nunca teve problemas com a Justiça. E sua eficiência lhe garante um elevado padrão de vida em San Francisco, onde sua atividade não é segredo para ninguém. Exceto, claro, para o imperador, que, até a leitura destas notas, só o conhecia pelo seu fascinante lado social.

D. Pedro deverá permanecer em San Francisco por quatro ou cinco dias e depois começará sua viagem de volta para Nova York, passando por Washington — onde finalmente se encontrará com o presidente Grant —, pelo Meio-Oeste, pelo Sul e pelo Norte do país. Quando voltar ao Brasil, saberá mais dos Estados Unidos do que a maioria dos nossos congressistas. É um autêntico *yankee goahead* — e não ficaria mal, digamos, numa chapa presidencial...

11

NOTAS DO POETA SOUSÂNDRADE

[*Do caderno encontrado na feira de antiguidades da praça XV*]

Nova York, 1º de maio. Voltei a ser procurado ontem na taberna do Earl Hotel pelo sr. Leopoldo Ferrão, que conheci há duas semanas e desde então parece adivinhar todos os meus passos. É um homem insinuante e muito convincente. Contou-me que enriqueceu durante a Guerra do Paraguai vendendo pólvora tanto ao governo brasileiro quanto ao de Solano López. Como a guerra se arrastou por seis anos, pode-se calcular quanto não terá amealhado. Seu interesse na minha pessoa se refere à minha aversão por d. Pedro II, que nunca escondi, e à convicção de que o Brasil estará melhor sob uma moderna república do que sob a monarquia que há séculos nos atrasa.

Pelo que depreendo de nossas conversas, há uma conspiração em curso na Corte contra o regime. Ferrão ainda não me disse exatamente como será, mas tem insinuado que o Brasil está prestes a se livrar do imperador e que ele me enxerga como um elo fundamental da trama. Minha função seria a de escrever panfletos e manifestos para distribuição em Nova York, de onde partirá a propaganda internacional em favor da nossa república. Ofereceu-me generosa remuneração pelos textos que escrever, mas respondi-lhe que, embora viva com dificuldade, a causa não comporta atitudes mercenárias e que estou pronto para ajudá-lo. Ele rebateu dizendo que meu trabalho será valioso e, com o Brasil sob o regime dos nossos sonhos, eu poderei escolher o cargo que quiser quando voltar ao país — de presidente do Instituto Histórico e Geográfico a senador da República pelo Maranhão ou poeta emérito nacional, o que eu preferir. Gostei da última sugestão. Isso para mim será suficiente, garanti-lhe.

Perguntei-lhe sobre o plano em linhas gerais, mas ele alegou que as estratégias finais ainda não foram definidas e que está estabelecendo contatos com operadores americanos, indispensáveis ao sucesso do movimento. Só sabe que tudo se dará na volta de d. Pedro a Nova York, no começo de julho. A ação acontecerá simultaneamente aqui e no Rio, e será indispensável que tenhamos alguns discursos já redigidos para virem à luz pela imprensa assim que a coisa se consumar. Disse que nos próximos dias me passará um esboço dos discursos e rogou-me que, enquanto isso, eu fizesse silêncio sobre o assunto, porque nosso triunfo dependerá desse segredo. Tranquilizei-o informando que, exceto por José Carlos Rodrigues, dono do jornal *Novo Mundo* e em quem não confio, não mantenho relações com nenhum brasileiro em Nova York. Aliás, os poucos americanos com quem falo acham que sou mexicano e me chamam de Pancho.

O sr. Ferrão pagou a despesa, despediu-se e saiu. Ao vê-lo afastar-se, perguntei-me como pode ser patriota um homem cuja pólvora abasteceu os canhões de dois países em guerra. Mas, em seguida, eu próprio achei a resposta. O Brasil de 1864-70 era o da monarquia, não o dos nossos ideais. Que o Paraguai o bombardeasse à vontade — e que pena que não tivesse canhões suficientes!

Embalado por essa ideia, veio-me a inspiração e compus mais uma estrofe de "O inferno de Wall Street". Entenda quem puder:

— 'Palavras ocas! López, lógico
Foi no Paraguai'; aos saraus,
O Aleixo da Rússia;
'A esta súcia,
Não Pedros, só vêm Kalakaus'!

12

DIÁRIO DE SUA MAJESTADE, O IMPERADOR D. PEDRO II

[*Arquivo do Museu Imperial*]

Washington, 9 de maio de 1876. Este país não deixa de surpreender-me. Nada é o que parece, e todos acham normal que seja assim. No Palace, em San Francisco, tive a experiência de conhecer um cavalheiro, o sr. Paladin, culto, íntimo dos protocolos, quase um fidalgo, e só depois descobri que é um jagunço, um bandoleiro, um homem que vive do aluguel de sua arma. Soube disso pela reportagem no *Herald*, que o sr. O'Kelly me deu a ler antes de despachá-la por telégrafo para Nova York. Aturdido com a revelação e avaliando o risco que a convivência com tal indivíduo representava para minha posição, dirigi-me ao sr. Paladin e comuniquei-lhe que, tomando conhecimento da natureza de seu trabalho, não mais lhe dirigiria a palavra. Ele sorriu, como se esperasse por isso. Sempre cativante, respondeu-me que não censurava minha atitude. Lembrou-me apenas que não estávamos num pequenino reino europeu, de valsas e chocolates, mas nos Estados Unidos, terra áspera e primitiva. Admitia, no entanto, que sua profissão, em que as balas às vezes substituem as palavras, estava realmente a ponto de extinguir-se. "No mundo do futuro", disse, "regido pela razão civil, não haverá lugar para armas. E, pelo mesmo motivo, Majestade, este será também o destino das monarquias." Fez uma mesura e, antes que Eu [*em maiúscula no original*] pudesse responder à sua impertinência, afastou-se solenemente, de ré, como obrigatório para os súditos.

Outra característica irritante deste país é o quanto se apregoa a eficiência, muito mais do que se a pratica. Ao passarmos por Cap Horn, ao pé das Rochosas, instruí o condutor do trem a fazer uma breve escala para que eu cumprimentasse o ator shakespeariano John McCullough, que sabia morar ali, numa rústica cabana de madeira. Isso foi feito, e o sr. McCullough recebeu-me com grande simpatia. Tão grande que nos entretemos debatendo as personalidades de Shylock e Falstaff, e esqueci-me de voltar para o trem. Quando isso me ocorreu, o comboio, com o condutor julgando-me a bordo, já partira havia quase uma hora. Regressei à cabana do sr. McCullough para esperar que, ao darem pela minha falta, viessem buscar-me. O que só aconteceu mais de uma hora depois, tempo em que eu e o sr. McCullough estávamos em meio a uma discussão sobre se todo monarca, por mais benigno, não trai às vezes algo de Ricardo III. Ao aparecer para resgatar-me, o condutor só faltou jogar-se de joelhos em desculpas e atribuiu o equívoco ao seu desconhecimento do espanhol — ao falar com alguém da comitiva, entendera que eu já voltara e que o trem estava autorizado a partir. Observei-lhe que no Brasil não falamos espanhol e dei o assunto por encerrado. Mas não creio que nosso sistema de transportes no Brasil, com todas as suas deficiências, perdesse um passageiro de tal cerimônia.

Fui levado a visitar a penitenciária de Allegheny City, na Pensilvânia, considerada modelo, e não escondi minha decepção junto aos diretores que me conduziram pelas instalações. Os detentos não me pareceram bem alimentados. Percebi deficiências no seu tratamento hospitalar e desapontei-me com a escola da prisão, composta de doze carteiras num espaço de vinte metros quadrados. Quando descrevi as condições da penitenciária do Rio, muito superiores, pareceram vivamente impressionados. Mas preciso me cuidar para não ofender meus anfitriões ao notar suas deficiências — que eles as têm, e muitas. Afinal, como disse o sr. Paladin, este não é um reino de valsas e bombons, mas uma terra áspera, regida pelos gatilhos.

Às 9h40 de anteontem, dia 7, Cantagalo convidou-me a irmos à balaustrada da locomotiva para assistirmos à nossa chegada a Washington. Foi uma feliz ideia. Vi ao fundo o Capitólio, margeamos o Potomac e, de longe, contemplamos a Casa Branca. À nossa chegada à gare, as muitas bandeiras do Brasil e os sons de nosso hino por uma banda de música trouxeram-me de volta à terra.

Mas o sr. Paladin não me sai da cabeça. É mais culto e educado do que muitos dos meus barões.

13

CARTA DO DR. CUPERTINO RAPOSO PARA O SR. LEOPOLDO FERRÃO, EM NOVA YORK

[*Encontrada entre os papéis de James J. O'Kelly*]

Rio de Janeiro, 10 de maio de 1876

Estimado Ferrão,

Saudações republicanas!

Sua carta de 18 pp. foi lida com grande entusiasmo em reunião de nosso grupo. Em troca, posso assegurar-lhe que a parte brasileira da operação avança com rapidez, apesar das compreensíveis precauções.

Nossos aliados nos altos escalões do Exército e da Armada reafirmaram seus compromissos para conosco, no sentido de darmos ao Brasil um destino melhor que o de, um dia, ser governado por um estrangeiro e da laia do conde d'Eu. Não apenas isso, mas também um militar desprezível, guindado ao marechalato por sua condição de genro do imperador, e homem indiferente às necessidades do Brasil. Os oficiais das duas Armas com quem estamos em contato concordam conosco em que a continuação do Império significará a eternização do analfabetismo, da pobreza e da escravidão — esta confirmada pelo fato de que, apesar dos quase 20 mil escravos que combateram heroicamente no Paraguai, o império, ao fim do conflito, não promoveu a abolição da escravatura.

Resta-nos fazer com que as duas fases da operação caminhem lado a lado e, no dia aprazado, a consecução de uma leve à outra e torne invencível o nosso movimento. A tomada dos quartéis no Rio se dará no exato momento em que o cabo submarino nos trouxer sua palavra sobre o sucesso da ação em Nova York. O bruaá internacional será correspondido aqui pelas manifestações de apoio das repúblicas vizinhas, com as quais finalmente manteremos relações adultas e proveitosas.

Sugiro que a partir de agora abreviemos nossa correspondência, a fim de acertar os ponteiros em matéria de estratégia e tática. Por favor, esclareça-nos sobre certos pontos. Quem serão os nossos operadores em Nova York? Onde pretende encontrá-los? Onde se dará a ação? Imagino que as armas serão definidas a partir das respostas a essas perguntas. Mantenha-nos informado.

À vitória! À república!

Com os respeitos do

Raposo

14

JIM PEDRO OFUSCARÁ D. ULYSSES

[*Reportagem de James J. O'Kelly,* New York Herald, *10 de maio de 1876*]

O imperador do Brasil, d. Pedro II, e o presidente dos Estados Unidos, Ulysses S. Grant, encontraram-se ontem na Casa Branca, em Washington. Sua Majestade está no país há quase um mês, e o motivo de até hoje esse encontro não ter se realizado faz parte de uma das condições de Sua Majestade para nos visitar, de não querer dar à visita um caráter oficial. Como até então não se reunira com o presidente, pôde ficar protocolarmente a salvo também dos governadores e prefeitos, que não se cansaram de propor-lhe homenagens numa tentativa de usá-lo para aparecer, e das quais ele se esquivou com grande elegância.

D. Pedro chegou à Casa Branca à uma e meia da tarde, acompanhado do visconde de Cantagalo, do dr. Teixeira de Macedo, seu advogado e secretário jurídico, e do embaixador do Brasil, sr. Carvalho Borges. Numa audiência inteiramente fora da etiqueta, os visitantes foram logo conduzidos ao Salão Azul e convidados a sentar-se. Em menos de um minuto, o presidente Grant, acompanhado do secretário de Estado Fish, entrou na sala. Sua Majestade se levantou à entrada do presidente, exemplo seguido pelos acompanhantes. O secretário de Estado fez a apresentação do imperador, o qual por seu turno apresentou sua comitiva, e, após a troca habitual de cortesias, foram todos convidados a passar ao Salão Vermelho. Lá os esperavam as sras. Grant e Fish e o sr. Fred Grant, filho do presidente, e sua esposa.

O presidente e o imperador sentaram-se para conversar, e Grant ficou impressionado com a familiaridade de d. Pedro com a nossa Guerra Civil e por sua satisfação pela vitória da União. D. Pedro relatou que, como governante, não lhe compete tomar partido em questões internas de outros países, mas, no caso, não hesitou em apoiar, até mesmo publicamente, a causa do Norte por sua posição diante da escravidão. Disse que, se seu país continua a praticá-la, agora em condições mais moderadas, é porque ele ainda não teve condições políticas para aboli-la de vez — enfrenta forte resistência dos plantadores de café, que são grandes senhores de escravos. Mas está decidido a fazer isso até o fim de seu reinado.

O embaixador do Brasil dedicou-se à companhia das sras. Grant e Fish, enquanto o visconde de Cantagalo e a sra. Fred Grant, fluentes em francês e espanhol, trocaram impressões sobre suas viagens à Europa. Após meia hora, o imperador levantou-se e, ao despedir-se, falou do prazer que terá de reencontrar o presidente dentro de alguns dias, em Filadélfia, na Exposição do Centenário, que inaugurarão juntos. E informou que Sua Majestade, a imperatriz Teresa Cristina, que se juntará a ele em Filadélfia, está ansiosa por conhecer a sra. Grant.

Deixando a Casa Branca, o imperador visitou o Capitólio, não poupando elogios à grandeza do edifício, "digno de uma potência", e a Biblioteca do Congresso, "extraordinária", com seus 300 mil volumes. Passeou pelos corredores do Senado e da Câmara dos Representantes, identificando alguns presidentes retratados nos grandes quadros a óleo nas paredes. Percorreu de passagem o prédio do Tesouro Federal e, surpreendentemente, manifestou seu desejo de conhecer a casa do falecido general Robert E. Lee, hoje museu. O lugar onde mais se demorou foi o Smithsonian Institute, com cujos professores discutiu a especialidade de cada um e arrancou exclamações de admiração feitas por eles a este repórter. Um deles, entomologista, admirou-se do conhecimento do imperador sobre a diferença entre o gafanhoto marroquino, prevalente na maioria dos países, e o gafanhoto americano, capaz de comer uma safra inteira de aveia e cevada em segundos. De volta ao hotel, Sua Majestade estava sendo esperado pelo general William T. Sherman, cujas façanhas durante a Guerra de Secessão também pareciam ser de amplo domínio do nosso visitante.

O balanço do dia nos foi favorável, porque Sua Majestade fez a gentileza de, no colóquio com o presidente, omitir seu conhecimento de certas consequências da nossa guerra, como os 620 mil americanos mortos nos dois lados, além dos feridos, mutilados e inválidos, que devem ter chegado à casa do milhão. Ao conversar com Sherman, o imperador fingiu igualmente ignorar o rastro deixado pelo general nos estados do Sul depois de suas vitórias sobre os rebeldes: as cidades incendiadas, as lavouras arrasadas, os escravos alforriados e deixados à míngua pelas estradas, os ex-combatentes que não devolveram as armas e formaram quadrilhas para assaltar bancos e trens e a criação de sociedades secretas racistas, como os Filhos do Sul, os Cavaleiros da Camélia Branca e a Ku Klux Klan. Como homem bem informado, o imperador sabe de tudo isso. Mas, por menos cerimoniosa, uma visita de cortesia não comporta discutir tais assuntos.

Sua Majestade é grande admirador do presidente Lincoln e fez questão de conhecer o camarote do Teatro Ford onde, na noite de 14 de abril de 1865, Lincoln foi alvejado mortalmente pelas costas pelo ator John Wilkes Booth, ligado aos Confederados. D. Pedro comparou Lincoln ao imperador romano Júlio César, também morto à traição por conspiradores, e comentou com este repórter como se sente seguro entre seus súditos no Brasil para caminhar entre eles pelas ruas.

O imperador deixará Washington na tarde de hoje. O trem o levará diretamente à Filadélfia, onde não poderá escapar dos banquetes e cerimônias em sua homenagem — afinal, é o principal convidado da abertura da Exposição do Centenário. E, com toda a certeza, d. Pedro (já chamado informalmente de Jim Pedro nas redações, graças à sua popularidade) ofuscará o dono da festa — nosso opaco imperador d. Ulysses.

15

CARTA DE SUA MAJESTADE, O IMPERADOR D. PEDRO II, PARA A CONDESSA DE BARRAL, EM PARIS

[*Em papel timbrado do Hotel Continental; tinta roxa*]

[*Arquivo do Museu Imperial*]

Filadélfia, 16 de maio de 1876

Minha cara condessa,

Como sempre, faço votos pelo seu bem-estar e do nosso rapaz.

Um mês depois de minha chegada aos Estados Unidos, começo a compreender por que este país está destinado a dirigir os destinos do mundo. Não sei se isso será bom ou mau, e não creio que seja bom, mas assim será. É a pátria da iniciativa. Todos parecem ter uma ideia para botar em prática e vê-la prosperar. Cada cidade parece se regular por conta própria, sem dar satisfações a um poder central. Há comitês para discutir quase tudo, e as leis são impostas pelo voto da maioria. Em contrapartida, é também a pátria do individualismo. Alexis de Tocqueville, em seu livro *Democracia na América*, advertiu que isso seria um perigo, pelo egoísmo que poderia gerar.

Pude observar em San Francisco um exemplo desse egoísmo: um movimento de vigilantes intitulado "Fora, Chineses!", com perseguições e agressões diárias aos imigrantes chineses, em grande número naquela cidade. A polícia finge não perceber a violência. Os legisladores falam agora em proibir a entrada de mulheres chinesas no país, para conter o alto grau de fertilidade da colônia. E, como os homens chineses são proibidos de casar com mulheres americanas, a ideia é desestimulá-los por completo de viver aqui. O curioso é que esse movimento é encabeçado pelos irlandeses católicos, eles próprios recém-chegados e relegados a profissões brutais, como policiais e bombeiros — o repórter do *New York Herald*, sr. O'Kelly, de extração irlandesa, é uma notável exceção.

Os americanos fazem uma grande ideia de si mesmos. Veem-se como justos e racionais, e talvez o sejam (exceto quando se trata de roubar cavalos — este é crime para a forca e sem julgamento). E seus homens públicos podem ser extraordinários, mas, ao mesmo tempo, primitivos. O general Grant foi um herói da Guerra de Secessão, mas, como presidente, é grosseiro, inculto e mal sabe falar. Dizem que abusa do álcool. Sua mulher, feia e vesga, faz o que pode para ser amável.

O sr. O'Kelly, que aprecio muito e me acompanha aonde quer que eu vá, narrou-me o momento em que Grant aceitou a rendição do general Robert E. Lee, supremo comandante das tropas confederadas, em Appomattox, no dia 9 de abril de 1865. Foi o ato que marcou o fim da guerra. Grant, com a jaqueta descomposta e desabotoada, recebeu a espada de Lee, que trajava seu mais belo uniforme sem um vinco e usava botas impecavelmente engraxadas. Um desavisado julgaria que Lee era o vitorioso. Enquanto isso, lá fora, seus soldados estropiados depunham suas bandeiras com a maior dignidade, sob os risos de chacota de seus grosseiros irmãos do Norte.

Ao contrário de meus primos das casas reais da Europa, apoiei, como sabe, a causa do Norte desde o começo. Mas nunca deixei de reconhecer a grandeza de Lee. Ele não queria a guerra. Fez campanha contra a secessão e, acredite, era abolicionista. Mas, forçado a lutar, combateu até o fim e disse que preferia "sofrer mil mortes" a render-se. E, se se rendeu, foi para salvar a vida de seus soldados — o massacre seria completo se a guerra continuasse. Lee dizia que não havia espetáculo mais horrendo do que os mortos e mutilados num campo de batalha. Com a paz, pregou a reconciliação do país, lutou pela reconstrução do Sul, apoiou a educação dos ex-escravos e proibiu que se fizessem estátuas em sua homenagem. Morreu há alguns anos e chocou-me ouvir que foi enterrado de meias, sem as botas. Como tratar assim um homem da sua estatura? Por isso, ao saber que me encontrava nas proximidades de sua antiga casa em Washington, insisti em conhecê-la. O cerimonial do presidente Grant acompanhou-me na visita.

No dia seguinte, embarcamos para Filadélfia. A viagem transcorreu com tranquilidade, embora com os aborrecimentos de sempre — quando o trem parava nos tanques, os cidadãos se agrupavam à margem dos trilhos para me ver. Por sorte, ao contrário da gente do Oeste, a desta região é discreta e educada. As pessoas se concentravam na estrada e, silentes, esperavam que eu aparecesse. Ao ver isso, eu saía à plataforma e lhes acenava. E só então me saudavam com gritos de "viva o imperador do Brasil!".

Em Filadélfia, fomos recebidos na gare pelo vice-almirante De Lamare e transportados ao Hotel Continental, onde a imperatriz me esperava em excelente estado de espírito. Sua temporada em Nova York, enquanto estive fora, não se limitou a ócio e bordados. Sempre na companhia de De Lamare e da menina Josefina, visitou igrejas, orfanatos e leprosários. Descreveu-me com admiração os Armazéns Tiffany, em cujos ateliês, que ocupam vários andares, são manufaturados os mais ricos adornos para senhoras. Relatou-me também ter conhecido um gentil brasileiro, o sr. Ferrão, que, por coincidência, viajara conosco no *Hevelius* e lhe foi apresentado por Josefina. O sr. Ferrão falou-lhe de uma pequena comunidade de brasileiros residentes em Nova York, segregados nos bairros mais distantes e vivendo de funções não muito primorosas — um deles, homem instruído e poeta de valor, vive de lavar latrinas. Ela disse ao sr. Ferrão que me passaria sua informação e que, ao voltar à cidade, eu iria recebê-lo.

A abertura da exposição, no dia 10, que caberia ao presidente Grant e a mim, foi exatamente o que eu temia: muita presunção e pouca cerimônia. Eu e a imperatriz chegamos ao Salão da Independência na hora aprazada para o início da cerimônia, mas o presidente Grant atrasou-se por quinze minutos. Não sei o que o reteve, já que, como me contaram, passou sem ser incomodado pela multidão que cercava o prédio, ao passo que tive de parar para cumprimentar os muitos que me saudavam. Disseram-me que havia 150 mil pessoas na praça. Finalmente nos reunimos e, para ingressar no Grande Salão, o presidente entrou de braço dado com a imperatriz, e eu, com a sra. Grant. Mais tarde, no Salão do Maquinário, eu e o presidente acionamos as alavancas de uma gigantesca máquina a vapor, o que a fez emitir sons parecidos com espirros e assobios e pôs a funcionar uma série de engrenagens bracejando para cima e para baixo. A exposição estava oficialmente aberta.

Fui o único chefe de Estado estrangeiro na inauguração. Os outros dezoito países presentes fizeram-se representar por seus embaixadores. Todos tiveram seus hinos nacionais executados por uma orquestra de 150 figurantes e um coral de mil vozes, sendo os mais aplaudidos a *Marselhesa*, o Hino Nacional brasileiro e a

Marcha Turca. Ouviu-se depois a *Marcha Inaugural do Centenário*, composta para a ocasião por Wagner. Depois tivemos discursos, trocas de condecorações, apresentações formais e demais caceti-ces inevitáveis nessas ocasiões. O que realmente me interessava — visitar a exposição, conhecer suas propostas, aprender com as novidades — teve de ficar para os dias seguintes. Mas, a partir daí, fui visitá-la diariamente.

Mais que uma exposição, é uma grande feira de produtos. Sete edifícios foram construídos no Fairmount Park, cada qual dedicado a um tema: agricultura, educação, horticultura, maquinário, manufatura, metalurgia e artes. Os pavilhões mostram inovações em matéria de locomotivas, carruagens, máquinas de costura, fornos, armas e arados. O pavilhão brasileiro, enriquecido pelos produtos de nossas províncias, encheu-me de orgulho. Lá estavam exemplares de nossos cereais, frutas, carnes, grãos, borracha, madeiras, couros, óleos, ervas medicinais e tecidos. Graças ao trabalho de nossa representação, fazemos lindíssima vista.

Uma curiosidade em meio aos pavilhões é um enorme braço segurando uma tocha. É parte de uma estátua que, disseram-me, os franceses estão construindo para oferecer aos americanos.

Tenho sido convidado a jantares e apresentado a industriais e comerciantes que vêm me propor negócios com o Brasil. Ouço-os a todos, mas informo que não estou em viagem oficial e que tenham a gentileza de apresentar suas propostas a nosso adido comercial em Washington. A imperatriz visitou o Pavilhão das Mulheres Americanas e foi abordada por uma comissão de sufragistas, que a convidaram a lutar pelo voto feminino no Brasil. Sua Majestade ouviu com atenção e não fez comentários, apenas agradeceu. Aliás, a imperatriz me confidenciou que, quando entrou de braço dado com o presidente na abertura da Exposição, quase não trocaram palavra, porque ele só fala inglês.

Algumas inovações a que fui recomendado na área culinária me desapontaram. Serviram-me, por exemplo, um espesso molho de tomate, apresentado pelo sr. Heinz, que achei enjoativo, e uma espécie de milho torrado, produzido por uma máquina que arrebenta o grão e o faz pipocar ao ser levado ao calor do fogo, perfeitamente insosso. A galinha americana também não tem o sabor das nossas, e seus legumes, apesar de grandes e robustos, me souberam indiferentes.

Interessei-me muito, no entanto, por uma pequena máquina que me foi mostrada por seu criador, um rapazinho magro, perdido num dos pavilhões, como se ignorado por todos. Ao me ver, fez-me uma respeitosa mesura (soube depois que era de origem escocesa) e disse: "Monsieur d'Alcântara, meu nome é Alexander Graham Bell. Tenho aqui um aparelho que Vossa Majestade talvez se interesse em... ouvir". A última palavra foi dita após uma expressiva pausa. Ao ver que eu o autorizava a mostrar-me, acionou uma quantidade de cilindros, bobinas e arames enroscados, ajustou o que me pareceram discos de metal e me estendeu um objeto em forma de taça, pedindo-me que o conservasse junto ao ouvido.

Afastou-se para certa distância e falou para outro objeto de forma similar que levava nas mãos. De súbito, uma voz me entrou pelo ouvido dizendo pausadamente: "Ser ou não ser... eis a questão...". Dei um pulo e, segundo disseram, exclamei: "Santo Deus! Isto fala!". Ele respondeu pelo aparelho: "Sim, Majestade, fala. Chama-se telefone". Passei o aparelho a outros da comitiva, que também o ouviram estupefatos, e dirigi-me ao sr. Bell, que continuava a recitar Shakespeare. Cumprimentei-o vivamente e ele me informou que chegara a essa invenção enquanto tentava criar um aparelho auditivo para surdos. Garanti-lhe que, se resolvesse comercializá-lo, o Brasil, com grande número de surdos, seria o seu primeiro comprador.

Partimos amanhã para a última etapa da viagem, em que cobriremos do Sul ao Norte do país. Os Estados Unidos têm mais de 30 mil quilômetros de trilhos, o que torna esses deslocamentos confortáveis e permitem uma grande circulação de riquezas. Pena que a paisagem que se vê da janela, tão monótona, não se compare à do Brasil.

Saudades e recomendações ao nosso rapaz.

Do seu

Sempre

P.

P.S.: A condessa ficaria chocada ao constatar que os americanos não tomam vinho ao jantar e que as ostras são servidas não no começo da refeição, mas no fim.

16

CARTA DE LEOPOLDO FERRÃO PARA O DR. CUPERTINO RAPOSO, NO RIO

[*Encontrada entre os papéis de James J. O'Kelly*]

Nova York, 30 de maio de 1876

Estimado dr. Raposo,

Saudações republicanas!

Mais uma vez escrevo-lhe para atualizá-lo quanto à fase norte-americana de nossa causa redentora. Fui ontem ao bairro do Bowery, na zona sul de Manhattan, à procura de um homem chamado Drake (ninguém parece saber seu primeiro nome). A região é decaída e assustadora, com pessoas ameaçadoras nas esquinas, mas, graças ao referido Drake, tranquila. Ele domina o território e não permite que se cometa nada fora da lei dentro dos seus limites. Em compensação, é dali que sai o planejamento de inúmeras operações ilegais no resto da cidade. Pelo que sei, Drake, ou alguém por trás dele, tem políticos e policiais em sua folha de pagamento. Seu nome me foi indicado por um certo Chandler, funcionário da prefeitura de Nova York que conheci por acaso numa viagem anterior. Voltei a procurar Chandler e, a uma escorchante gratificação de vinte dólares, ele arranjou meu encontro com Drake.

Drake me esperava sentado a uma mesa de fundos do Roscoe's, um café na rua do Canal, no quarteirão entre as ruas Mulberry e Mott. O lugar estava vazio e ele era o único cliente — depois fiquei sabendo que ordenara isso ao proprietário. Divisou-me assim que entrei e, com as mãos debaixo da mesa, observou cada passo meu em sua direção. Devia estar segurando uma arma. Apresentei-me e ele me convidou a sentar. Só então mostrou as mãos — duas manoplas, do tamanho de pás de remo. Não estava segurando uma arma, mas um pedaço de pau, de que tirava lascas com um canivete. Eu lhe disse que estava ali a negócios, que representava uma organização política brasileira e que precisava de sua orientação para um plano que tínhamos em mente. Ele perguntou do que se tratava e eu respondi:

"Matar alguém."

Ele quis saber onde, e eu respondi:

"Aqui mesmo, em Nova York."

Ouviu isso com indiferença e só levantou um sobrolho quando, à sua pergunta — "Quem vai morrer?" —, respondi:

"O imperador do Brasil."

Narro-lhe esse diálogo porque, como pode imaginar, não é algo que se diga com facilidade a um homem que nunca se viu e não se sabe quanto pode ser confiável. Mas não havia outra maneira. Ao ouvir o nome, aprumou-se na cadeira e só então percebi como devia ser alto — perto, talvez, de dois metros. Devia ter quarenta anos, usava a cara raspada e vestia-se bem. Ali entendi por que todos lhe deviam respeito e o chamavam de "The Bowery Boss", o chefão do Bowery.

Quando mencionei d. Pedro II, deu a entender que sabia de quem se tratava. E por que não? Os jornais de Nova York não têm outro assunto além do imperador — nem a estreia do Barnum & Bailey, um misto de circo e rodeio que chegou à cidade, parece chamar tanta atenção.

Drake me fez várias perguntas. Quais eram nossas motivações, quais seriam as consequências do ato no Brasil, o que ele significaria para as relações com os Estados Unidos, quantas pessoas estavam envolvidas e, caso algo desse errado, quem pagaria por ele? Informei-o da melhor forma possível. O Brasil se tornará uma república. O governo dos Estados Unidos, depois das condolências de praxe, receberá bem a ideia. Éramos muitos no Rio, mas, para não haver possibilidade de vazamento, eu estava praticamente sozinho em Nova York. Quanto à última pergunta, fui franco: se a operação fracassar, o agente local, o profissional que precisaríamos contratar, corria o risco de ser capturado. Drake apenas assentiu — homens assim estão habituados ao perigo. Ficava implícito que esse risco terá um preço.

Convidou-me a passar a uma sala interna do Roscoe's. O proprietário trouxe-nos uma garrafa de uísque e dois copos e retirou-se, fechando a porta. Drake foi lá e trancou-a. Quando seria a ação? — perguntou. Nos primeiros dias de julho, respondi — d. Pedro está de partida de Nova York para a Europa marcada para o dia 10. Drake voltou a encarar-me: como eu gostaria que a coisa se desse?

Expliquei-lhe que o atentado deveria ser um ato público, capaz de criar grande alvoroço e render manchetes internacionais. Com isso, ficava eliminada a ideia de infiltrar um agente no hotel do imperador para apunhalá-lo pelas costas, jogá-lo no poço do elevador ou qualquer outra ação sorrateira. Drake tomou nota e acrescentou que, sendo assim, estavam também descartados o estrangulamento, o envenenamento ou uma bomba — no caso desta, nunca se pode garantir que o alvo será o único atingido. Donde, concluiu, só resta a morte a tiros. De preferência, com um único tiro.

"Esse foi o erro de Johnny Booth, o assassino de Lincoln", continuou. "Booth era um amador. Odiava Lincoln de tal forma que agiu por impulso. Invadiu aos berros o camarote do teatro e disparou várias vezes à queima-roupa contra o presidente, dando tempo a que alguém reagisse e trocasse tiros com ele. Além disso,

Booth não pensou na possibilidade quase certa de ser preso, o que afinal aconteceu. No nosso caso, terá de ser um tiro à distância. O que exigirá a escolha de um cenário ideal e de um atirador. Alguém incapaz de errar."

Drake garantiu-me que, por acaso, tinha esse homem: John Hyde, um veterano profissional do Arizona, atirador de exibição, perito em acertar a mosca a cem passos, e já com várias execuções em seu currículo, embora de ninguém tão importante. Ele o mandaria vir especialmente para isso. Quanto ao local do crime, as possibilidades exigiriam visitas às diversas opções, o que levaria duas ou três semanas. Mas já podia adiantar-me o custo da operação: 2 mil dólares, a ser divididos — não me disse como — entre ele e o atirador, mais as despesas. O pagamento deveria ser feito a ele, Drake, em espécie e integralmente, numa maleta, a uma semana da operação. Ele se encarregaria de acertar com o atirador.

Dito isso, brindamos com o uísque, fabricado por um destilador do Kentucky chamado Burke, a quem Drake prestou certa vez um serviço e que passou a abastecê-lo regularmente. Marcamos novo encontro para 20 de junho, quando ele já terá se comunicado com Hyde (o atirador) e estudado os possíveis cenários da ação. Despedimo-nos com um aperto de mão, com o qual Drake quase me triturou os dedos.

E assim caminha nosso plano, que se me apresenta vitorioso. Sei bem a grandeza que os mais de 2 mil dólares representam. Mas confio em que nossos aliados aceitarão levantar essa soma, motivo pelo qual já dei minha aprovação a Drake.

Aguardo seus comentários.

À vitória!

Ferrão

17

A AMEAÇA DA JAMBALAYA

[*Narrador*]

Depois de sua triunfal passagem pela Exposição do Centenário, o que restaria a d. Pedro nos Estados Unidos? Ser biografado por Mark Twain? Ter seu rosto esculpido numa montanha? Descer as cataratas do Niágara num barril?

Nada disso. Os americanos se encantaram com a sua simplicidade, e ela era mais que suficiente. Quem mais, mesmo sendo o soberano da nação mais importante da parte de baixo do continente, desfilaria pelo país com a modéstia de um cidadão republicano? E que outro imperador, em vez de coroa, usaria um chapéu de palha e, no lugar do cetro, um guarda-chuva? Um rei europeu seria incapaz disso, diziam — embora nunca tivessem visto um rei europeu.

Em Filadélfia, o imperador, acompanhado da imperatriz e da comitiva, iniciou a segunda etapa de sua viagem, agora em direção ao Sul do país. O transporte se deu em dois Palace Pullman especiais que, como não levavam outros passageiros, podiam parar sempre que d. Pedro se interessava por alguma coisa. Uma delas, uma usina metalúrgica, para apreciar a construção de vagões, lâminas e rodas de aço — deteve-se até numa fundição de sinos. Mais de uma vez ordenou que parassem sobre pontes, a fim de descer e examinar suas estruturas. E, em Baltimore, fez o serviço completo: comprou um telescópio que mandou entregar no Rio, visitou o túmulo de Edgar Allan Poe e, ao ouvir falar da pujança da biblioteca do Instituto Peabody, fez questão de visitá-la. Para testar tal pujança, perguntou sobre várias obras raras e ficou satisfeito ao verificar que constavam da coleção.

Em St. Louis, a comitiva mudou para o vapor fluvial *Grand Re-*

public e começou a vagarosa travessia do Mississippi, em direção a New Orleans. Nas escalas em Natchez e Baton Rouge, o barco foi invadido por curiosos que entravam pelos salões e ousavam examinar de alto a baixo o casal imperial, como se eles tivessem vindo da Lua. O imperador suportou tais afrontas com humor. Puxando-o pela manga, uma senhora o abordou para contar que perdera dois filhos lutando pela causa do Sul e, com a derrota deste, "não tinha mais pátria". D. Pedro respondeu que a escravidão tornara indefensável a causa do Sul e que era um alívio ver os Estados novamente Unidos, formando uma grande nação. A senhora lhe virou as costas dizendo "Nunca! Nunca!", mostrando que as feridas da Guerra Civil continuavam abertas.

Quando o *Grand Republic* entrou no ancoradouro de New Orleans, vários vapores fizeram as salvas de estilo, e Sua Majestade, de pé, agradeceu as saudações. Ao atracarem, um dos discursos de recepção foi pronunciado pelo bispo Sheen, da Igreja episcopal, revelando a d. Pedro que, durante a guerra, New Orleans cogitou desgarrar-se da União e tornar-se uma monarquia independente, caso em que pensaram convidá-lo como soberano! D. Pedro agradeceu, mas, ao andar pela cidade e observar o capim brotando das calçadas, as nuvens de moscas no ar e a inominável sujeira, sentiu-se aliviado por aquilo não ter passado da intenção.

O imperador, pelo menos, aproveitou sua estadia em New Orleans para cumprir uma agenda que julgou oportuna: conversar com os médicos e sanitaristas da cidade sobre febre amarela — não por acaso, o Rio tivera havia pouco a sua primeira epidemia do gênero devido a um vapor proveniente de New Orleans. Deles d. Pedro ouviu falar em quarentena e que os navios, as ruas, os pátios e o interior das casas deviam ser fumigados com enxofre e ácido carbólico. O imperador agradeceu e só lamentou que New Orleans não tivesse começado a praticar tudo isso antes de mandar um vapor infectado para o Rio.

Como não é dado a destilados, d. Pedro manteve educada distância do bourbon da região. Mas, ao ouvir falar da jambalaya e saber que era uma iguaria feita de galinha e camarão, interessou-se em conhecê-la. Assim que lhe abriram a panela, no entanto, a fumaça bafejante de cebola, alho, chilli, páprica e estragão penetrou-lhe as narinas, e Sua Majestade, mais precavido desde o desaire no Pará, deu uma desculpa e retirou-se. E, por via das dúvidas, resolveu seguir viagem.

No dia seguinte, ele e seu pessoal tomaram um trem expresso rumo ao outro extremo do país — o Norte. Vai cruzar seis estados, com descidas em Mobile, Memphis e Buffalo, e ninguém parece capaz de contê-lo. Seu destino, as cataratas do Niágara — mas, espera-se, só para admirá-las.

18

NOTAS DO POETA SOUSÂNDRADE

[*Do caderno encontrado na feira de antiguidades da praça XV*]

Nova York, 5 de junho de 1876. Ontem tive relações íntimas com Charlotte Burns. Ou talvez seja mais adequado dizer que ela teve relações íntimas comigo. Afinal, tudo partiu dela. Encontrou-me no Earl e, sem dizer palavra, sinalizou para irmos embora dali. Saiu marchando pelas ruas, seguida por mim, que só a custo acompanhei seu passo, e conduziu-me até uma casa de pedra na MacDougal Street, onde tinha seus aposentos. Ao entrarmos, nem se preocupou em convidar-me a sentar ou oferecer-me um copo de vinho. Agarrou-me pelas partes, arrastou-me para um catre e, num átimo, começou a decompor-me as calças e ceroulas em busca de meu membro.

Como tal coisa nunca me acontecera, quedei-me estupefato e

paralisado, entregue aos seus caprichos. A captura de meu falo, no entanto, não era tarefa fácil — quando ela o empalmou, senti-o com as dimensões e a consistência de um molusco gastrópode limacídeo (lesma, para o vulgo), murcho e aquoso. Mas isso não pareceu fazer diferença para a srta. Burns, e quedei-me, inerme e inerte, enquanto ela abusava do meu corpo em suas intimidades, que também desnudara. Durante a eternidade de dois minutos, arfou sobre meu rosto enunciando palavras que, apesar de meu amplo domínio da língua inglesa, suficiente para discutir filosofia com Oliver Wendell Holmes, o medo me impedia de compreender. Sua franja loura chicoteava-me o nariz à medida que ela se agitava e eu sentia seus lascivos movimentos pélvicos sobre os meus meridianos.

Finalmente, a srta. Burns emitiu um gemido lento e grosso, como o de um animal marinho, talvez uma morsa, e me liberou. Saltou do catre num átimo, apossou-se de um caderno e de uma pena no criado-mudo e passou a escrever freneticamente. Ainda trêmulo, recobrei a compostura, recolhendo meu flácido apêndice, e exigi-lhe uma satisfação.

Levantando os olhos, como se só então parecesse dar-se conta da minha presença, disse-me que, antes de encomendar-me os panfletos feministas, resolvera pôr-me à prova. Estava realizando uma investigação sobre a reação masculina diante de uma mulher capaz de iniciativas tradicionalmente reservadas aos homens, como a de decidir praticar o coito. Contou-me que, assim como fizera comigo, já testara um russo, um africano, um sueco, um mexicano e, vencendo sua própria resistência, um chinês. Avaliara seus respectivos desempenhos, tabulando-os do melhor ao pior, e esperava em breve apresentar suas conclusões à Liga Feminista. Ousei perguntar-lhe onde me situava nessa classificação e ela me respondeu com grande naturalidade: "Até agora, o pior. Pior até do que o tintureiro chinês, que cheirava a goma e anil".

Fingindo ignorar o ultraje, mas disposto a nunca mais socializar com a srta. Burns, pedi-lhe licença para me retirar — que me concedeu com um breve aceno de mão — e, deixando-a entregue às suas anotações, voltei a passos trôpegos para o Earl.

Lá, para nenhuma surpresa de minha parte, estava à minha espera o sr. Ferrão. Trazia um maço de papéis, que abriu na mesa para me mostrar. Eram antigos manifestos republicanos brasileiros, escritos por jornalistas e políticos simpáticos à causa, como Quintino Bocayuva, Tavares Bastos, Lafayette Rodrigues Pereira, Aristides Lobo e Octaviano Hudson.

"São textos de grande envergadura moral", observou, "mas tíbios politicamente. Seus autores são republicanos históricos, mas muito respeitosos. Tratam a monarquia com lenços de seda e falam de uma república utópica, que não se sabe quando chegará. Gostaria que os resumisse num documento apaixonado e candente, como se a monarquia tivesse acabado de ser deposta e o novo poder já estivesse sendo instaurado — o que acontecerá. Servirá como um manifesto da vitória, a ser comunicado ao povo brasileiro assim que nossos homens se instalarem no Paço. Aliás, não mais Paço, mas o Palácio da República!"

"Como o documento chegará a nossos aliados? Pelo vapor?", perguntei.

"Não. Pelo cabo submarino", respondeu. "Assim que a ação se completar em Nova York, levarei o manifesto pessoalmente ao telégrafo. Em uma hora estará no Rio, via Londres — e, pouco depois, em todas as bocas."

Deixou comigo os papéis, dizendo que eu tinha sete dias para trabalhá-los, nem uma hora a mais. Levantou-se, jogou uma moeda de dólar sobre a mesa e saiu. Capturei-a antes que o garçom chegasse. Com ela, paguei sua cerveja e, com o troco, comprei suprimentos para uma semana no mercado de Manhattanville. Até então, eu fora republicano apenas por amor.

19

BILHETE EM FRANCÊS DE D. JOSEFINA, ACOMPANHANTE DE SUA MAJESTADE, A IMPERATRIZ, PARA O SR. JAMES J. O'KELLY, ENTREGUE POR MENSAGEIRO

[*Encontrado entre os papéis de James J. O'Kelly*]
[*Tradução do narrador*]

Boston, 10 de junho de 1876

Sr. O'Kelly,

Lamento não poder dirigir-me ao senhor com os habituais tratamentos de cortesia, pois o objetivo desta é justamente manifestar-lhe meu desprazer com sua presença ou proximidade. O senhor não me é caro nem prezado. Já na primeira etapa da viagem aos Estados Unidos, a bordo do *Hevelius*, fez toda sorte de aproximações inconvenientes à minha pessoa, aproveitando-se das facilidades concedidas por Suas Majestades. Disse-me coisas inaceitáveis ao ouvido, em liberdades que nunca lhe dei nem darei.

Em Nova York, o senhor foi decididamente desagradável ao abordar-me no Fifth Avenue Hotel com declarações que sei insinceras e falsas. Acontece que, por uma inconfidência de sua parte ao imperador e que este deixou escapar entre nós, estou ciente de que o senhor tem uma noiva — uma jovem que, por sonhar com um futuro em sua companhia, sinceramente não invejo. Ela não gostaria de saber que, desde Filadélfia, quando nos reunimos à comitiva do imperador, o senhor voltou a açodar-me com juras sussurradas, sob o pretexto de interessar-se pela imperatriz.

Informo-o de que, já no *Hevelius* e, depois, nas semanas que passamos em Nova York enquanto o senhor acompanhava o imperador, tive a honra de privar com um brasileiro gentil e atencioso, já estando avançadas nossas conversas sobre convolar núpcias quando voltarmos ao Brasil. Trata-se do sr. Leopoldo Ferrão. Ele não gostará de saber que sua quase prometida está sendo assediada por um sedutor barato.

Como também ouvi de Sua Majestade que o senhor fala perfeito francês, esta carta, vazada na língua de Molière e Racine, deixará bem claro que, de sua pessoa, só desejo distância.

Passe muito bem!

Josefina de Alencastro

20

CARTA DE SUA MAJESTADE, O IMPERADOR D. PEDRO II, PARA SUA FILHA, A PRINCESA ISABEL, NO RIO

[*Arquivo do Museu Imperial*]

Boston, 10 de junho de 1876

Minha adorada filha,

Saudades e votos de que a condução do Império não esteja sendo um fardo excessivo para os seus ombros. Sou-lhe grato por poupar-me de questões políticas e administrativas cuja solução está ao perfeito alcance da princesa e do gabinete. Ao mesmo tempo, reconforto-me com a ideia de que minha ausência está a permitir-lhe familiarizar-se com os problemas de que inevitavelmente terá de tratar um dia — o fim da escravidão, a economia, as reformas que o país exige. Neste momento, a ausência de projetos a examinar e de papéis a assinar tem me garantido um descanso incomum nesses meus longos anos de reinado.

Em compensação, a cada escala desta viagem, previamente anunciada pelo *Herald* e por outros jornais, sou assomado à chegada aos hotéis com dezenas de cartas enviadas a mim por americanos. Todas fazem perguntas tolas, como "É verdade que os brasileiros tomam canja de papagaio?", e solicitam resposta. Seus remetentes fingem-se de interessados nos nossos costumes, mas são apenas colecionadores de autógrafos, na esperança de acrescentar a seus acervos um manuscrito do imperador do Brasil. Cantagalo as responde por mim e aplica-lhes o selo imperial, com o que os correspondentes se contentam e sossegam.

Com isso, posso dedicar-me à observação deste país que, queiramos ou não, desempenhará importante papel no futuro do Brasil. Habituado a uma terra como a nossa, de ilimitadas belezas, e a um solo que, com pouco mais que um simples gesto, nos dá tudo de que precisamos, vejo nos Estados Unidos um país de enorme dinamismo. Suas indústrias, fábricas, usinas, ferrovias, cidades e escolas são admiráveis, ainda mais por terem de se impor às vezes sobre enormes territórios impraticáveis, como desertos e geleiras. Os Estados Unidos só não são tão belos quanto o Brasil. Oxalá um dia associemos à nossa formosura a capacidade empreendedora dos americanos, e eles, a nossa beleza à sua força. Quando isso acontecer, vejo como inevitável que esta república e a nossa monarquia se sobrepujem à Europa, cujas riquezas materiais e espirituais já dão sinal de exaustão.

Estamos agora na parte final da viagem. Deixamos New Orleans e, como as distâncias entre o sul e o norte aqui são curtas, chegamos em três dias de trem ao Canadá. Em Niágara, no parapeito do lado americano, vimo-nos diante das famosas cataratas. Sim, são magníficas, mas só em extensão. A nossa, de Paulo Afonso, cai de uma altura muito maior e sua massa d'água é incomparável em grandeza. Bateu-se uma fotografia do nosso grupo, com o lençol de espuma ao fundo. Depois, atravessamos uma ponte suspensa e chegamos ao lado canadense. Protegidos por oleados impermeáveis, descemos pelo atalho que termina sob a catarata da Ferradura, onde, ao olharmos para cima, recebemos inadvertidamente um banho de chuveiro na cara. Fomos também à Goat

Island, a Ilha dos Bodes, para admirar o espetáculo das corredeiras. Nos dias seguintes, conhecemos os reservados dos ursos e dos bisões, e, em outra excursão, levaram-nos a uma pirâmide com os ossos dos índios chippawa, desenterrados de seu cemitério. Cobram-se ingressos para todas essas atrações, provando que, nos Estados Unidos, não apenas a natureza e os animais, mas até os mortos, como esses pobres índios, rendem dinheiro para os vivos.

A imperatriz lhe escreverá à parte e você receberá as duas cartas ao mesmo tempo, mas temo que ela lhe esconda a verdade. Começo a temer que esta longa excursão por barcas e trens esteja a exigir de Sua Majestade mais do que sua saúde pode tolerar. Tem-se revelado indisposta com frequência e prefere muitas vezes permanecer em seus aposentos enquanto eu atendo aos compromissos oficiais. Sua aia Josefina é-lhe extremamente devotada e, por isso, objeto de admiração geral. Até o repórter do *Herald*, sr. O'Kelly, observou que, por dedicar-se minuto a minuto ao bem-estar da imperatriz, Josefina raramente é vista na comitiva.

Há dois dias, por fim, minha viagem aos Estados Unidos encontrou a sua mais profunda razão de ser: a chegada a Boston, para o encontro com o poeta cujo nome nem preciso dizer-lhe — Henry Wadsworth Longfellow. Quantas vezes não a embalei ao som de versos como "*Full of hope and yet of heart-break / Full of all the tender pathos / Of the Here and the Hereafter; / Stay and read this rude inscription, / Read this Song of Hiawatha!*"? Longfellow recebeu-me em seu *cottage* em Cambridge, à beira de um rochedo sobre uma pequena enseada em face do Atlântico, com uma praia de areia fina e ondas que às vezes lhe levam espuma às janelas. Ao abrir-me a porta, vi o homem cuja gravura ilustra as primeiras páginas de meu exemplar de *Poems*, seus poemas completos em dois pequenos, mas grossos volumes, na edição de 1864. É o mesmo homem da estampa, só que, agora, ostentando os cabelos brancos que lhe cobram os seus 69 anos.

Durante duas horas falamos de poesia, de poetas e de sua preferência, entre os alemães, pelos epigramas de Friedrich von Logau sobre os de autoria de Goethe e Schiller. Quando lhe confessei minha admiração por suas traduções dos *Sinngedichte* de Logau, seus olhos brilharam. Ao nos despedirmos, Longfellow anunciou que me ofereceria um jantar na noite seguinte e perguntou-me quem eu gostaria de convidar. Não hesitei: Ralph Waldo Emerson, Oliver Wendell Holmes, John Greenleaf Whittier e James Russell Lowell. Vinte e quatro horas depois, eu estava na presença desses homens, que representam o melhor que a poesia, o pensamento, a diplomacia e o jornalismo americanos podem oferecer. Como são todos residentes em Boston, e um convite de Longfellow, mesmo em cima da hora, é quase uma ordem, não se furtaram a comparecer. Talvez a menção à presença do imperador do Brasil tenha ajudado um pouco.

Mal acreditei quando Whittier, ao estender-me a mão trêmula, revelou sua extrema timidez. Pois esse é o poeta que todos exaltam por sua ardente defesa do abolicionismo e que converteu até os sulistas à razão durante a guerra. Ao observá-lo, parecia-me que tinha algo a dizer-me, mas que não se atrevia. Por fim, à saída, resolveu-se: falou de seu grande interesse pela fauna da América do Sul e perguntou-me se, ao regressar aos trópicos, eu poderia mandar-lhe exemplares de pássaros empalhados. Respondi-lhe imediatamente que sim, e ele pareceu aliviado. Como homens tão grandes podem ser tão frágeis?

Pretendo demorar-me em Boston por no mínimo mais uma semana. Há muito que ver e admirar aqui, sem falar que ainda estarei diversas vezes com Longfellow e que há outros americanos que gostaria de conhecer.

Dê-nos notícias suas, querida filha. Estaremos em Nova York no próximo dia 6 de julho, a tempo de receber sua carta e saber sobre meu neto Pedro, a quem espero um dia transmitir tudo que aprendi.

Recomendações ao conde d'Eu e votos de que esteja bem do fígado, dos calores na cabeça e da dispepsia do estômago que sempre o atanazam.

Com todo o coração do seu

Pai

21

CARTA DO SR. LEOPOLDO FERRÃO AO DR. CUPERTINO RAPOSO, NO RIO

[*Encontrado entre os papéis de James J. O'Kelly*]

Nova York, 15 de junho de 1876
Ao dr. Cupertino Raposo, eminente cidadão republicano,
Saudações às vésperas da vitória!

Caro dr. Raposo,

Com votos de que esteja bem, volto a escrever-lhe. Esta será nossa última comunicação por carta, porque não haverá tempo para outra. Os eventos da hora final lhe serão comunicados pelo cabo submarino.

Folgo em saber que a proposta de 2 mil dólares feita por Drake foi aceita por nossos aliados e que o dinheiro acaba de ser transferido do Banco do Brasil, no Rio, para a conta que abri na agência da Wells Fargo, em Poughkeepsie, N.Y. Trata-se de uma aldeia pesqueira à beira-mar, a duas horas de Nova York, onde os Astor, os Morgan e os Vanderbilt têm seus palácios de inverno. A Wells Fargo está habituada à movimentação de grandes quantias e não se interessa pela origem do dinheiro. De qualquer maneira, apresentei-me como um brasileiro importador de abacaxis, e nossa transação está a salvo de suspeitas.

Passo a detalhar-lhe os planos que estabeleci com Drake. O atentado se dará no Madison Square Garden, um coliseu recém-inaugurado na Madison Square. É uma arena ao ar livre, tomando todo o quarteirão da rua 26 e com capacidade para 5 mil pessoas. Está alugada atualmente ao circo Barnum & Bailey, que se apresenta como "O maior espetáculo da Terra". Esse circo é mesmo um empreendimento colossal. Durante duas horas e meia, apresenta trapezistas, palhaços e acrobatas capazes de façanhas nunca vistas e todos os números possíveis com cavalos, leões, elefantes, ursos, gorilas e serpentes. Em certos momentos, há centenas de artistas e animais ao mesmo tempo no picadeiro. Uma das grandes atrações é Lillian Smith, uma atiradora que, equilibrando-se de pé num cavalo que faz um círculo a meio-galope no centro da arena, estoura, com tiros de rifle, trinta bexigas seguradas por meninos uniformizados. Diz-se que nunca errou e, de fato, nas duas vezes em que assisti ao espetáculo, ela acertou todas.

Lillian Smith era, até há pouco, estrela do Buffalo Bill's Wild West, um festival de vaqueiros e índios que passou por Nova York. Mas P. T. Barnum convenceu-a a mudar-se para o seu circo. Barnum é um dos homens mais notórios dos Estados Unidos. Vive de empreendimentos arriscados e seu mote é o de que "nasce um otário por minuto". É capaz de arrancar dinheiro de qualquer um para bancar suas ideias e já levou gente à bancarrota com algumas delas, como um museu de horrores que incluía um esqueleto humano vivo, trigêmeos siameses e torneios de arremesso de anões. Mas, graças a seu sócio James A. Bailey, que tem os pés no chão e aboliu essas extravagâncias, seu circo é um sucesso, com lotação esgotada duas vezes por dia, sete dias por semana.

Já compramos um camarote para John Hyde, nosso atirador, no espetáculo a que d. Pedro comparecerá. Segundo todas as informações, confirmadas por nossa inocente colaboradora na comitiva, a menina Josefina, será na vesperal do próximo dia 7. E, em caso de mudança de planos, ficaremos sabendo pelo *Herald*, que divulga cada espirro do imperador. Para nos certificarmos de que Hyde estará sozinho no camarote, compramos todos os assentos. Ele ficará de frente para o camarote reservado por Barnum para seus grandes convidados, que é onde estará d. Pedro. Por se tratar de um circo sem lona, não haverá mastros entre ele e o alvo.

Hyde chegará ao camarote exatamente no início do espetáculo, quando todos os olhos já estarão dirigidos para o picadeiro. Levará um rifle, desmontado em duas partes, dentro de um estojo de violino — se alguém o notar ao passar por ele nos corredores pensará que é um membro da orquestra. Ao entrar no camarote, Hyde trancará a porta com a chave e diminuirá a iluminação. Assistirá tranquilamente aos números, aplaudindo com discrição. Uma hora e meia depois de começado o espetáculo, Lillian Smith surgirá do céu, num balão, de pé sobre seu cavalo Júpiter numa prancha atrelada ao aeróstato. Este pousará delicadamente no picadeiro. Júpiter sairá de início a trote, com Lillian sobre ele, e os assistentes levarão embora o balão.

Lillian dará cinco voltas pelo picadeiro, sorrindo e atirando beijos para as bancadas. Na quinta volta, um assistente lhe jogará um rifle semiautomático, carregado com trinta disparos. Ela o pegará no ar e, acelerando o cavalo, já começará a atirar contra bexigas cheias de água, que meninos uniformizados seguram com uma pequena vara. Enquanto isso, Hyde montará seu próprio rifle — um Whitworth, de fabricação inglesa, considerada a espingarda de maior precisão e alcance até hoje inventada, capaz de atingir um alvo a mil jardas de distância, quase mil metros. Hyde, na segunda fila de seu camarote — longe do parapeito, para não ser visto —, estará a apenas trezentos metros do imperador, e com mira.

Ele só terá tempo para um tiro — e na cabeça. Para que os camarotes ao lado não ouçam o disparo, Hyde vai acionar o gatilho no momento em que Lillian Smith, de frente para o camarote principal, estourar com um tiro determinada bexiga. Os dois tiros se darão na mesma fração de segundo. Para saber exatamente quando atirar, Hyde foi várias vezes ao espetáculo do Barnum & Bailey — sempre às matinês, para não se tornar familiar para a turma da noite —, a fim de cronometrar o intervalo entre um tiro e outro de Lillian. É claro que essa precisão não depende só dela, mas também do cavalo sobre o qual ela fica de pé. Por isso Hyde tentou tirar a média dessa velocidade entre uma bexiga e outra. Mas não foi preciso. O cavalo, Júpiter, um appaloosa branco com manchas pretas, absolutamente treinado, dá dez passos a meio-galope, com uma precisão de relógio, entre um tiro e outro. Graças a isso, Lillian mantém um exato ritmo de tiro em todas as apresentações. Seus trinta tiros cobrem cinco voltas no picadeiro e se dão a cada dez segundos. Hyde atirará junto com o 15º tiro de Lillian.

Como os dois tiros se darão no mesmo instante, os únicos a ver que alguma coisa aconteceu com o imperador serão os seus acompanhantes mais próximos no camarote. Mesmo assim, levará alguns segundos para que percebam. Além disso, sem saber de nada, Lillian Smith continuará cavalgando e estourando bexigas, o que ocupará a atenção da plateia.

Assim que atirar, Hyde desmontará o rifle e o devolverá ao estojo. Sairá com calma pela porta do camarote e, no primeiro lance de escadas em direção à saída, vazias naquele momento, estará sendo esperado por um cúmplice, Harry Talbott, a quem passará o estojo. Os dois sairão do Garden por alas diferentes e cada qual tomará uma direção. Hyde irá direto para o Grand Central Depot, na rua 42, onde tomará o trem de volta para o Arizona. Talbott jogará o estojo no Hudson e se esconderá em seu casebre no Five Points, bairro imundo e miserável onde a polícia não entra, na zona sul de Manhattan.

Os dois já terão sido pagos adiantadamente por Drake — Hyde, 750 dólares; Talbott, 250. E, se você se perguntar se eles não pensarão em fugir com o dinheiro sem fazer o trabalho, é porque não conhece Drake. Ninguém jamais sobreviveu a tentar traí-lo.

O'Kelly certamente estará a algumas poltronas do imperador no momento do tiro, mas talvez não na mesma fileira. Com sua vivência de quem já cobriu revoluções, será um dos primeiros a se dar conta do atentado. Talvez hesite por um instante entre socorrer d. Pedro, correr para buscar ajuda e olhar o anel das arquibancadas para tentar descobrir de onde partiu o disparo. Repórter experimentado, finalmente decidirá por essa última opção, mas, então, Hyde já estará repassando o estojo para Talbott nas escadas. Se O'Kelly identificar corretamente o camarote, o que é improvável, e atravessar correndo as galerias em direção a ele, vai encontrá-lo vazio. Ele então voltará para o camarote real e constatará a morte de d. Pedro. Pelo estrago, saberá que a bala que o atingiu na cabeça era um projétil hexagonal, disparado por um rifle calibre 45, talvez um Whitworth, como os que os ingleses vendiam para os Confederados na Guerra Civil. O mesmo que depois passou a ser usado para matar búfalos.

Chegará então o momento em que O'Kelly, como sempre sem saber que nos ajuda, nos será decisivo. Correrá para seu jornal a fim de escrever o artigo para uma edição extra e dar o grande furo de reportagem. Em pouco mais de uma hora, o *Herald* estará nas ruas, e a manchete sobre a morte de d. Pedro II será gritada pelos pequenos jornaleiros. Eu estarei anonimamente a postos nas proximidades do jornal, para ser um dos primeiros a comprar um exemplar. E não precisarei levantar um dedo para que a notícia chegue ao Brasil. O próprio O'Kelly se encarregará de mandar sua reportagem para o Rio pelo cabo submarino.

Será a deixa, dr. Raposo, para que nossos aliados entrem em ação na Corte e procedam à tomada dos palácios, quartéis e repartições por nossos homens. E, para que não haja nenhuma dúvida nos Estados Unidos e na Europa sobre o propósito do atentado, as caixas de correio de todos os jornais de Nova York já terão sido alimentadas por mim com os manifestos que Sousândrade já redigiu, anunciando o nascimento da República do Brasil!

Com os cumprimentos do seu correligionário

Leopoldo Ferrão

P.S.: Embarcarei no *Cyclone*, a caminho do Rio, no segundo dia após o atentado. Chegarei a tempo da formação do Primeiro Gabinete da República.

22

DIÁRIO DE SUA MAJESTADE, O IMPERADOR D. PEDRO II

[*Arquivo do Museu Imperial*]

Nova York, 6 de julho de 1876. [...] De volta a Nova York para a última etapa da viagem. Passamos o feriado de 4 de julho, Dia da Independência dos Estados Unidos, a bordo do Pullman que nos trazia de Boston, atravessando incógnitos várias pequenas cidades e sem parar em nenhuma. Foi uma decisão minha. Queria conhecer o grau de patriotismo do povo americano fora das programações oficiais.

Ele me pareceu elevado. Durante todo o percurso ouvimos à distância inúmeras bandas militares tocando marchas triunfais e gente gritando "Deus abençoe a América!". Ouvimos muitos tiros de revólveres disparados a esmo (não sei como não se matam às centenas uns aos outros), bombardeios de fogos e uma cacofonia de cornetas, apitos e línguas de sogra. Todas as cidades pareciam ter saído às ruas e, pelas janelas dos vagões, vimos muitos homens usando cartolas e casacas em azul e vermelho, estampadas de listras e estrelas. Perguntei-me como minha amiga, a rainha Vitória, em Buckingham, estaria se sentindo nesse dia em que, há exatamente cem anos, o Império Britânico perdeu a sua mais importante colônia. Calculo uma perda ainda maior que a de Portugal com a independência do Brasil, em 1822 — porque as restantes colônias portuguesas em África me parecem mais ricas que as da Grã-Bretanha.

Chegamos a Nova York e nos reinstalamos no Fifth Avenue Hotel. A imperatriz comemorou sua volta a uma cama com dossel de quatro postes, cortinado de renda e colchão de penas — um alívio para sua frágil constituição depois de quase um mês nos catres dos trens, estreitos e com recheio de feno. Eu próprio, habituado a essas viagens quando no Brasil, às vezes acusei certo desconforto.

Ontem pela manhã nos submetemos a uma fascinante experiência: posar para o sr. José María Mora, cubano que se tornou o mais importante fotógrafo dos Estados Unidos, em seu ateliê na Broadway. Entrementes, devo observar que a Broadway — "rua larga", em inglês — não é tão larga quanto a nossa rua Larga, no Rio. É certamente mais longa e de traçado irregular, passando de um lado para o outro da Quinta Avenida. Mas não percebi nela nenhuma edificação à altura das que ornamentam a nossa rua Larga, bastando-me citar a do Imperial Colégio que leva o meu nome e a do Barão de Itamaraty.

O ateliê do sr. Mora, sim, talvez supere o de Marc Ferrez no Rio, em equipamento e recursos. Mas apenas porque, depois de ter suas instalações à rua de São José destruídas por um incêndio em 1873, o sr. Ferrez fechou o ateliê e resolveu dar preferência à fotografia de campo. Tem sido inestimável o seu trabalho ao registrar a grandeza e a beleza da Corte e ao juntar-se às expedições científicas que visitam a Amazônia e o Norte do Brasil. Há pouco, na Bahia, realizou a façanha de fotografar os índios botocudos, que nunca haviam sido contatados.

O trabalho do sr. Mora é mais de natureza artística. Com sua origem endinheirada em Havana, tem fotografado todas as personalidades que passam por Nova York, de governantes estrangeiros às divas da ópera e do teatro. Sua especialidade é posicioná-los à frente de cenários que podem representar tanto o universo do fotografado quanto uma paisagem rural ou urbana. O autor dessas pinturas, de grande valor ilustrativo, é seu assistente, o sr. Lafayette W. Seavey. Outra novidade do estúdio do sr. Mora é sua equipe de retocadores, comandada pelo sr. Edward Costa. Com o uso de pastas especiais e o manejo de pincéis, eles podem tirar anos do rosto de um homem ou realçar as formosuras de um pescoço ou colo feminino antes de serem fotografados. Imagino que, sem esforço, poderiam restituir à condessa de Barral a sua beleza que, até há pouco, estava à altura dos grandes salões internacionais...

Juntos ou separados, eu e a imperatriz nos deixamos fotografar pelo sr. Mora em diferentes poses, tendo, a cada vez, um painel diferente ao fundo. Antes de começarmos, sugeriu-me com delicadeza que tirasse momentaneamente a casaca, para que uma de suas auxiliares a lavasse a seco e passasse a ferro, restaurando a integridade das lapelas. Concordei porque, de fato, era a casaca com que vinha viajando havia um mês. Foram batidas as chapas e, horas depois, impressionado com a qualidade do material, convidei o sr. Mora a conhecer o Rio e considerar a possibilidade de montar um estúdio entre nós. Ele pareceu se empolgar com a ideia e prometeu-me uma resposta nos próximos meses.

A oferta de tragédias de Shakespeare nos palcos desta cidade é infinita. Há pelo menos duas companhias especializadas no bardo e cada uma tem em seu repertório um punhado delas. Ontem assistimos a um esplêndido *Romeu e Julieta*, com dois promissores adolescentes nos papéis-título. Julieta também era interpretada por um rapaz.

Mas nem só de Shakespeare vivem os americanos. Nosso próximo compromisso, amanhã à noite, é assistir a um espetáculo circense, o da companhia Barnum & Bailey, de quem todos falam maravilhas.

23

NOTAS DO POETA SOUSÂNDRADE

[*Do caderno encontrado na feira de antiguidades da praça XV*]

Nova York, 6 de julho de 1876. Escrevo estas notas sob forte emoção. As mãos tremem-me ao segurar a pena e mal consigo arranhar o papel. Sinto palpitações e temo por meu coração. Acabo de descobrir que a conspiração de que tenho sido chamado a fazer parte, visando à derrubada da monarquia brasileira e envolvendo ações simultâneas em Nova York e no Rio, prevê o assassinato de d. Pedro II.

Foi o que constatei esta tarde, ao ser convidado ao quarto de hotel do sr. Ferrão para ultimar nossos planos. Perambulando pelo quarto enquanto ele se barbeava na casa de banhos ao fim do corredor, pousei os olhos num papel sobre sua mesinha de cabeceira. Era o rascunho de uma carta que ele enviara havia dias para o dr. Cupertino Raposo, articulador das manobras no Rio. A palavra "atentado" logo nos primeiros parágrafos deixou-me curioso para ler o que se seguia. Fiz isso e ali tomei conhecimento das minúcias do plano — nunca a mim reveladas — e da extensão do que se pretende fazer.

A indignação me assoma. Até então, minha suposição era a de que, aproveitando a viagem do imperador, os republicanos civis e militares brasileiros tomariam o poder na Corte, rebelando os quartéis, ocupando os palácios e rendendo os ministérios e repartições. Em Nova York, d. Pedro, sabendo-se destronado e certo de que seria preso se voltasse ao Brasil, seguiria para o exílio na Europa. No Rio, a princesa Isabel, o marido e os filhos seriam embarcados de imediato num navio e mandados para onde quer que d. Pedro se dirigisse — com certeza, Paris. A família imperial seria destituída de todos os bens, e sua fortuna, distribuída entre os pobres, e os inúmeros quadros a óleo que a retratam, arrancados das paredes dos salões e postos a arder em praça pública. Eu não teria nada a opor a isso. Mas nunca poderia imaginar que, para que a república se instalasse em nosso país, seria preciso eliminar fisicamente o imperador — e a tiros, por um pistoleiro.

Sinto-me traído, ultrajado, feito de parvo. Nas últimas semanas, orientado por Ferrão, produzi panfletos em inglês com textos revolucionários, que seriam distribuídos aos jornais de Nova York assim que o golpe fosse dado. Através deles, o povo americano

— e, por conseguinte, a opinião internacional — ficaria sabendo que o Brasil era "regido por uma monarquia preguiçosa, cansada e omissa, incapaz de resolver problemas como a escravidão, o analfabetismo e a pobreza". E que "o imperador, já velho e alquebrado, seria sucedido por uma princesa carola e inexperiente, casada com um militar estrangeiro ambicioso e corrupto, que a dominava". E que o povo brasileiro, "sabendo que seu progresso depende da república" e "não podendo esperar que as coisas se resolvam pelos meios normais, tomara uma atitude". Só agora compreendo, com horror, o que essa última frase quer dizer.

Ao ouvir os passos de Ferrão no corredor e sabendo que, já escanhoado, ele voltava para o quarto, afastei-me do papel e da mesa. Disfarcei meu estado de nervos, aleguei que tinha um compromisso e fui embora. Se ele percebeu minha alteração, não disse nada. Apenas concordou e lembrou-me de que estava à espera dos últimos textos.

Saí à rua e, olhando para trás, para certificar-me de que ele não me seguia, tomei o trem elevado na Segunda Avenida. Em uma hora, estava em minha casa, em Manhattanville. Tentei bater meia dúzia de ovos temperados com um cálice de conhaque, para fazer uma gemada e me acalmar, mas deixei cair vários ovos no chão e desisti. Contrariando meus hábitos, acabei tomando o conhaque puro.

Sou um poeta, não um terrorista. E muito menos um assassino. Odeio o imperador e tudo o que ele representa, mas não aceito que se o mate para mudar o regime. A Europa superou há pouco sua triste sucessão de monarcas assassinados e, se o atentado se consumar, ela terá por nós a mesma repulsa que sentiu pelos Estados Unidos quando John Wilkes Booth matou Lincoln. Além disso, pelo lado dos Bragança e dos Habsburgo, d. Pedro tem tios e primos em todas as casas reais. A república brasileira já nascerá manchada de sangue. Quanto a mim, quero passar à história pelos versos do *Guesa*, não como cúmplice de um regicídio.

Não sei o que fazer — ainda não tive tempo de concatenar as ideias. O atentado será amanhã à noite. Não sei se devo denunciar a conjura à polícia e me comprometer, ou me proteger permanecendo omisso. O problema é que meus textos já estão com Ferrão — um deles, estupidamente assinado com meu nome.

24

VISITA DO *YANKEE GO-AHEAD* SE APROXIMA DO FIM

[*Reportagem de James J. O'Kelly,* New York Herald, *7 de julho de 1876*]

A excursão do imperador do Brasil, d. Pedro II, pelo nosso país encerra-se nos próximos dias com um saldo excepcional. Dizemos isso com convicção porque, mais do que qualquer outro jornal americano, pudemos acompanhá-lo quase minuto a minuto — desde o Rio, mais de um mês antes da partida. Privamos com Sua Majestade em seu país e testemunhamos o apreço em que é tido por seus súditos. Embora comande uma monarquia (por sinal, a única do continente), faz isso com tal largueza de espírito que convive em paz com uma intensa pregação republicana, a cargo de um partido legalizado e vários jornais que o atacam de todas as maneiras. É como se estivesse convicto de que, no fundo, seus compatriotas veriam nele o governante ideal em qualquer forma de governo.

D. Pedro, presunçoso? Não — ninguém menos solene e formal. Locomove-se à vontade entre os populares em sua bela capital, tira o chapéu para os interlocutores antes que estes o façam e é capaz de descer de seu quase 1,90 metro de altura para recolher um lenço que alguma donzela do povo deixe cair acidentalmente ao chão.

Embarcamos com d. Pedro no *Hevelius* e, durante toda a viagem do Rio para Nova York, observamos sua facilidade de trato para com pessoas das várias origens. Verificamos também seu apetite por tudo referente à cultura — literatura, história, línguas, ciências — e nos surpreendemos com seu grau de interesse pelas coisas dos Estados Unidos.

Seria normal um governante estrangeiro querer conhecer nosso Congresso, indústrias e monumentos. Mas quem senão d. Pedro daria preferência a casas históricas, escolas, bibliotecas, o Smithsonian Institute, e insistiria em conhecer o poeta Longfellow? Quem nos pediria que lhe reservássemos ingressos para o teatro? E quem nos solicitaria uma visita à... redação do *Herald* — insistindo em que ela se desse não no fim da tarde, quando o jornal está sendo escrito, mas depois da meia-noite, quando ele está em pleno processo industrial, sendo montado, impresso, cortado e dobrado? E quem se encantaria com uma rotativa fazendo tudo isso?

Em sua temporada entre nós, nunca nos afastamos dele, mesmo quando partiu para uma longa excursão pelo país. Estivemos ao seu lado em cada estado e cidade por onde passou e registramos cada comentário que emitiu sobre tudo o que observou. Suas opiniões mostravam conhecimento e autoridade sobre uma miríade de assuntos, e ele foi, às vezes, bastante crítico em relação aos Estados Unidos. Mas podemos garantir que, ao tomar o navio dentro de alguns dias, d. Pedro levará consigo uma grande impressão dos Estados Unidos: um país forte e já com muito a ensinar. Ao mesmo tempo, terá deixado entre nós exemplos de dignidade, tolerância e sabedoria e uma certeza de fé no futuro — que nos caberá, aos Estados Unidos e ao Brasil, liderar.

O espírito republicano e de *yankee go-ahead* de Sua Majestade estimulou alguns de nós a sugerir sua candidatura à presidência do nosso país nas próximas eleições. Não seria má ideia. Mas temo que, antes, teríamos de perguntar aos brasileiros se aceitariam ceder-nos seu imperador...

25

O DEDO NO GATILHO
[*Narrador*]

Quando John Hyde abriu a porta do camarote 35 do Barnum & Bailey's Greatest Show on Earth e fechou-a atrás de si, trancando-a, Rollo, o mestre de cerimônias do circo, de cartola e casaca vermelhas, estava chegando ao centro do picadeiro para abrir a vesperal. E, para provar que o nome "O maior espetáculo da Terra" não tinha nada de exagerado, anunciou logo a primeira atração. Eram os Irmãos Desperado, "espanhóis de uma secular família circense, numa proeza quase suicida: um voo livre de uma plataforma a trinta metros de altura, aterrissando de peito num escorregador inclinado a cinquenta graus!". A plataforma estava, na verdade, a quinze metros de altura — uma mentirinha típica de Barnum, sabendo que a plateia não tinha como calcular —, e os Irmãos Desperado não tinham nada de espanhóis — eram dois rapazes de Oklahoma, incapazes de apontar a própria Europa num mapa. Mesmo assim, era um número arriscado: quinze metros são uma enorme altura para um salto. Mas os jovens o executaram com perfeição, atingindo de peito o escorregador no ângulo exato e deslizando por ele em total segurança.

Se já se começa por tal façanha, como superá-la no decorrer do espetáculo? Mas não era preciso. Barnum sabia que nenhuma plateia consegue passar duas horas e meia prendendo a respiração, donde intercalava os números perigosos com amenidades a cargo de palhaços e bailarinas. Havia também os animais, capazes de fazer coisas nunca vistas: ursos de saiote patinando, elefantes equilibrando-se em tamboretes, focas jogando bolas com o focinho. Enquanto o público assistia a tudo sofregamente e chupando pirulitos, Hyde esperava sua hora de entrar em cena. Era o único a saber que o grande número da noite seria o dele — um número com direito de vida e de morte sobre o homem mais importante da plateia e que iria alterar o destino de uma nação de 10 milhões de pessoas.

Até então, além de emboscar xerifes e prefeitos de províncias, Hyde só fizera um trabalho de âmbito federal: matara um senador. É verdade que era um político jovem, recém-eleito e de Rhode Island, um estado quase insignificante, mas ainda assim um senador. A execução de um governante estrangeiro, a mando de um homem importante como Drake, o galgava a um novo patamar. Não que fosse ficar famoso — ao contrário, seu nome nunca poderia aparecer e ele já tinha até álibis preparados em caso de suspeita. Mas a informação circularia entre quem realmente importava: os equivalentes de Drake em outras regiões do país. O valor de seu serviço passaria a ser medido pelo peso da coroa na cabeça de sua vítima.

Do outro lado do anel estava o camarote do homem que ele iria eliminar. Era o camarote de gala, todo iluminado, composto de quatro fileiras de sete poltronas. Todas as autoridades já estavam presentes. O imperador ocupava a poltrona central da primeira fileira, tendo à sua esquerda a imperatriz, a acompanhante desta, d. Josefina, e o visconde de Cantagalo. À sua direita, Bill Wickham, prefeito de Nova York, e, fazendo as honras da casa, Barnum e Bailey, os proprietários. Os demais membros da comitiva sentavam-se nas fileiras de trás, com James O'Kelly numa das poltronas centrais, mas na terceira fileira. Dois funcionários circulavam discretamente servindo vinho e petiscos. E Bailey destacou dois homens robustos para controlar pelo lado de fora a porta do camarote e impedir a entrada de gente tentando cumprimentar o imperador. Hyde certificou-se de que sua visão do alvo era perfeita e a distância, nada assustadora para um atirador com a sua precisão.

Durante o espetáculo, Hyde observou que d. Pedro, de chapéu no colo, não despregava os olhos dos artistas, como se tentasse decifrar o segredo de cada truque. Podia passar minutos sem se mexer. O máximo de movimento era seguir com a cabeça, de um lado para o outro, as evoluções dos trapezistas, ou fazer pequenos meneios de aprovação. Ao fim de cada ato, aplaudia energicamente, como se despertasse de uma pétrea rigidez. Todos os seus movimentos eram previsíveis. Era o alvo perfeito.

À exata hora e meia de espetáculo, Lillian Smith, vestida à maneira dos vaqueiros e de pé sobre seu cavalo, desceu do céu num balão ao qual estava atrelada uma plataforma onde ficava o cavalo. Cinco mil bocas fizeram "uhhhhhh!!!" ao ver a aeronave surgir das alturas e descer suave e verticalmente. De onde viera aquele balão? Segredos de circo. Era notável também como o cavalo, talvez pela proteção dos antolhos, não se assustava ao se ver lá em cima e como Lillian conseguia equilibrar-se na sela, de pé, apesar de suas botas e esporas. O balão pousou. A plataforma com Lillian e Júpiter tocou o chão e eles saíram a trote ao redor do picadeiro, com Lillian, como previsto, jogando beijos para a plateia. Na quinta volta, um assistente jogou-lhe um rifle, que ela pegou no ar. Com um toque no dorso do cavalo, Lillian Smith ordenou ao cavalo o meio-galope.

Hyde viu chegada a hora. Abriu o estojo, tirou de dentro sua arma e, com um clique, engatou as duas partes. Introduziu a bala na câmara, correu o ferrolho para a frente e travou-o na posição. Apoiou então a coronha em seu ombro esquerdo e apontou o rifle para o alvo.

Ele não era dos que fechavam um olho para mirar. Preferia os olhos abertos, porque isso lhe permitia assestar a mira com um deles e, no caso de ser um alvo móvel, controlar com o outro seus movimentos — e d. Pedro, por mais compenetrado que estivesse, era um alvo móvel. Hyde concentrou-se no contraste entre o nó da gravata preta contra o branco do colarinho do imperador e calculou que, apontando para um milímetro acima, o alvo seria atingido no centro da testa — esta, por sinal, enorme. O estofo vermelho do encosto atrás de d. Pedro fazia uma moldura conveniente para o seu cabelo, que a iluminação do camarote tornava ainda mais prateado. O imperador era também, de longe, a pessoa mais alta da primeira fileira, com o que mesmo as de sua altura nas fileiras de trás pareciam mais baixas. Nunca um atirador dispusera de condições tão favoráveis.

Na décima bexiga estourada por Lillian Smith, Hyde começou a pressionar levemente o gatilho, o suficiente para testar sua resistência. No instante do disparo, bastar-lhe-ia aplicar um pouco mais de pressão à alça. A oscilação provocada pelo impacto do cão do rifle seria mínima e, de uma arma imperturbável, só poderia sair um tiro perfeito. Restava-lhe apenas seguir os movimentos de Lillian Smith e Júpiter, para que os dois estampidos se confundissem em um só — e uma cabeça coroada se jogasse contra o encosto pelo impacto da bala que a atravessaria.

Era agora. Hyde levou a arma ao olho e começou a contar as passadas do animal. Estranhou — elas pareciam um pouco aceleradas em relação ao que ele esperava. Lillian Smith estava atirando mais depressa do que deveria. E só então John Hyde reparou melhor no cavalo.

Não era um appaloosa branco com manchas pretas, mas um appaloosa preto com manchas brancas. Não era Júpiter, o cavalo das matinês, mas Saturno, que Lillian Smith usava nas vesperais. Saturno era um pouco maior — suas passadas eram mais largas, cobriam mais chão em menos tempo.

Hyde viu-se presa de súbita confusão. Perdera a conta — tudo parecia agora estar acontecendo depressa demais —, mas não podia recuar. Por algum motivo, decidiu que a bexiga seguinte era a 15ª. E atirou.

26

MANCHETES DOS JORNAIS DE NOVA YORK EM EDIÇÃO EXTRA

[*Recortes encontrados entre os papéis de James J. O'Kelly*]

IMPERADOR DO BRASIL SOFRE ATENTADO DURANTE FUNÇÃO DO BARNUM & BAILEY! Atirador erra por alguns centímetros e bala se crava no encosto de sua cadeira no camarote! [*The New York Herald*, 7 de julho de 1876]

TERRORISMO NO MAIOR ESPETÁCULO DA TERRA! Imperador do Brasil sofre atentado no Barnum & Bailey! [*The New York Daily Telegraph*, 7 de julho de 1876]

TENTARAM MATAR O IMPERADOR D. PEDRO II EM NOVA YORK! Ato terrorista envolve um atirador americano, mas sua origem deve estar no Brasil! [*The New York Times*, 7 de julho de 1876]

GRAVE ATENTADO NO CIRCO CONTRA O IMPERADOR DO BRASIL! Tiro disparado de camarote erra o alvo e provoca pânico na plateia do Barnum & Bailey! [*The New York Tribune*, 7 de julho de 1876]

27

PLANO PARA MATAR D. PEDRO ERA PERFEITO — SE NÃO FOSSE POR UM CAVALO

[*Reportagem de James J. O'Kelly,* New York Herald, *8 de julho de 1876*]

A visita de d. Pedro II aos Estados Unidos — até então uma ciranda de cerimônias, homenagens e consagrações em dezenas de cidades e estados americanos — viveu ontem um episódio inesperado. Sua Majestade foi alvo de um atentado ao assistir à vesperal do circo Barnum & Bailey, cognominado "O maior espetáculo da Terra".

Só faltava isso para completar o incrível rol de atrações do empreendimento de P. T. Barnum: um matador profissional, escondido no fundo de um camarote, para disparar contra um governante estrangeiro, tentando fazer com que seu disparo coincidisse com um dos tiros da estrela Lillian Smith quando esta, de pé num cavalo, estourasse com seu rifle uma série de bexigas cheias d'água. Se não conhecêssemos os meandros da política brasileira, poderíamos suspeitar que se tratava de um dos costumeiros truques de Barnum para causar sensação. Na verdade, ele deve estar se mortificando por não ter tido aquela ideia.

Conforme revelamos em edição extraordinária na noite de ontem — a primeira a chegar às ruas com a notícia, menos de duas horas depois do atentado —, foi um ato com fins políticos. O atirador era um americano, John Hyde, matador profissional importado especialmente do Arizona pelo infame Frank Drake, chefe do crime no Bowery e em toda a Nova York. Mas por que eles matariam o chefe de Estado de uma nação amiga em visita ao nosso país? Porque foram contratados a mando de um terrorista brasileiro chamado Leopoldo Ferrão, cuja prisão foi efetuada ontem mesmo de madrugada. Aliás, foi o *Herald* que chegou ao nome do mandante, por intermédio de um informante privilegiado, e o ofereceu à polícia.

Os objetivos do atentado eram a derrubada da monarquia no Brasil, representada por d. Pedro, e a instauração da república naquele país. A escolha dos Estados Unidos como cenário para isso seria pela sua repercussão internacional. Ferrão estaria ligado a civis e militares brasileiros que, assim que soubessem do desfecho do ato no Barnum & Bailey, entrariam em ação no Rio de Janeiro e instaurariam o novo regime. O acaso, no entanto — ou a única possibilidade de erro numa trama muito bem arquitetada —, frustrou-lhes os planos.

Detido em flagrante pelos agentes McCoy e McCorkle ao tentar escapar do circo por uma porta lateral e levado preso para a 20ª Delegacia, Hyde foi aconselhado por um advogado público a se declarar culpado e relatar o crime — o que ele fez. Segundo sua confissão, o detalhado estudo sobre o tempo entre os tiros de Lillian Smith para que seu disparo coincidisse com o dela foi baseado nas passadas do cavalo que ela montava ao atirar. Aconteceu que Hyde fez essa medição nas matinês a que compareceu, sem saber que, nas vesperais das dezoito horas, o cavalo usado pela srta. Smith era outro — e com passadas diferentes. Hyde só percebeu isso a segundos de apertar o gatilho.

Confundiu-se, atirou assim mesmo e errou. A bala se alojou no estofo de veludo vermelho da poltrona de d. Pedro, a centímetros de sua cabeça. Fora de sincronia com o tiro de Lillian Smith, o estampido foi ouvido por muitos, que se voltaram para de onde partira o som e viram quando Hyde desmontou a arma e saiu correndo para escapar. Um alerta correu entre os seguranças e eles bloquearam as saídas. Três minutos depois, Hyde estava preso. Outro homem tentando ir embora às pressas, Harry Talbott, também foi detido. Os dois se reconheceram na delegacia.

D. Pedro saiu ileso da operação, exceto por certo afogueamento em sua orelha esquerda provocado pela passagem tão próxima do projétil. Bill Wickham, prefeito de Nova York, saiu de sua habitual letargia e determinou o recolhimento imediato do imperador ao escritório de P. T. Barnum, numa zona interna do circo, em caso de o atentado não ter sido obra de um atirador isolado. D. Pedro parecia tranquilo, assim como a imperatriz. Mesmo assim, uma dose de conhaque foi servida a Suas Majestades, para restaurar-lhes os ânimos.

O cônsul brasileiro em Nova York, sr. Salgado Pinto, compareceu à delegacia e, discretamente, tentou pedir às autoridades e aos jornalistas que não divulgassem o que acontecera. Alegou que um ato dessa natureza deixaria mal o Brasil perante seus pares internacionais. Foi informado de que, nos Estados Unidos, os jornais são livres para noticiar e não havia nada a fazer. Mas que, passada a comoção inicial, em poucos dias a história seria esquecida. Não se podia garantir, claro, sobre suas repercussões dentro do próprio Brasil — mas isso competia aos brasileiros.

D. Pedro ofereceria amanhã uma recepção aos escritores, poetas e cientistas de Nova York. Ela se daria no Delmonico's, restaurante recém-inaugurado na Quinta Avenida, na altura da rua 26. Não se sabe ainda se o ágape está de pé ou se será cancelado. No dia seguinte, 10, o imperador e sua comitiva tomariam um vapor da Cunard Line em direção à Inglaterra, de onde iniciariam sua excursão pela Europa, pelo Egito, pela Palestina e pela Ásia Menor. Ignora-se também se essa programação será mantida ou se ele voltará diretamente para o Brasil. D. Pedro ainda não se decidiu.

O imperador deixará saudades entre nós — que estiveram a um centímetro de ser definitivas.

28

RELATÓRIO PARTICULAR DE JAMES J. O'KELLY PARA JAMES GORDON BENNETT JR.

[*Rascunho encontrado entre os papéis de James J. O'Kelly*]

Nova York, 11 de julho de 1876

Caro sr. Bennett,

Com a partida de d. Pedro II para a Europa na data de ontem, encerra-se nossa cobertura iniciada em fevereiro último, quando fui para o Rio a fim de conhecer o imperador, embarcar com ele para os Estados Unidos e acompanhá-lo pelas viagens por nosso país. Nesse intervalo, nossa cobertura envolveu mais de cem reportagens, editoriais, notas soltas e artigos sobre ele, culminando com o inacreditável desfecho de que todos temos conhecimento. Fui informado de que o investimento nesse trabalho foi recompensado pela crescente venda do jornal nas ruas — a edição do atentado bateu todos os recordes — e pelos anúncios de empresas brasileiras empenhadas em agradar a nosso visitante, congratulando-o diariamente por sua excursão. Os mais generosos, como se lembra, foram os anúncios de página inteira por ocasião da visita do imperador à Exposição do Centenário. O governo de Sua Majestade também contribuiu com extensas matérias pagas sobre as belezas do Brasil.

Imagino que, mesmo com a partida de d. Pedro, o interesse por ele prosseguirá entre os leitores por alguns dias, com os desdobramentos que o atentado contra a sua vida terão em seu país. O imperador não quis voltar imediatamente para o Brasil, esperando que sua ausência permita a seus ministros abafar quanto possível a história. O que não será difícil, já que a imprensa local, apesar de ser, em boa parte, de oposição, costuma poupá-lo de ataques pessoais. Além disso, não é um momento bom para os republicanos brasileiros — alguns dos envolvidos no atentado deverão ser presos, enquanto outros, mais discretos, se recolherão. De qualquer maneira, os jornais brasileiros ainda não têm a prática da reportagem, com o que a repercussão do atentado se limitará a editoriais opinativos e discussões nos cafés.

Dito isso, passo a informá-lo de alguns meandros da cobertura sobre o atentado.

Assim que me certifiquei de que a situação no camarote do Barnum & Bailey estava sob controle, tomei um carro a dois cavalos e mandei tocar para a redação, a fim de escrever a reportagem e chegarmos às ruas antes das dez da noite — o que conseguimos. Em seguida, ao sair do jornal, fui abordado na calçada por um homem magro e modestamente vestido: um brasileiro, o sr. Sousa Andrade. Apresentou-se, disse que presenciara o atentado e declarou que tinha uma informação importante.

Levei-o para uma sala dos fundos no *Herald*, e ele me fez uma minuciosa descrição do plano, que conhecia em detalhes. Disse que, por ser um dos maiores poetas do Brasil e publicamente conhecido como republicano, fora sondado para participar dele e aceitara. Mas, ao descobrir que a operação exigia o assassinato de d. Pedro, mudara de ideia e, mesmo roído de culpa, não fora à polícia fazer a denúncia, por medo de ser envolvido. No entanto, ao ver que o atentado fracassara, decidira procurar-me e me contar tudo, inclusive o nome e o endereço do brasileiro que articulara a operação em Nova York: o sr. Leopoldo Ferrão, hospedado no Dover Hotel, na rua 23, quarto 412. O mesmo Ferrão que viajara conosco no *Hevelius*!

Ao ouvir aquilo, não perdi tempo. Levando comigo o sr. Andrade, corri à delegacia que fica ao lado do *Herald* e fiz uma proposta irrecusável a Jim McPherson, delegado de plantão e meu amigo. Eu lhe daria o nome e o endereço do responsável pelo atentado em troca de exclusividade no flagrante da prisão. Ele aceitou, claro, e, levando conosco uma patrulha, fomos ao Dover.

Era ainda antes das onze. O jornal saíra havia pouco, tempo em que Ferrão voltara ao hotel para fazer as malas e tentar fugir. Batemos à porta e, quando ele a abriu — pensou ser o camareiro que chamara para pegar a bagagem —, McPherson já lhe apontou a arma e deu voz de prisão. Ficamos com Ferrão no quarto por mais de uma hora, revistando tudo, e fui eu a encontrar um maço de cartas que ele trocara com seu cúmplice no Rio, certo sr. Cupertino Raposo — também o mesmo que me ameaçara de morte por me julgar interessado em sua noiva!

As cartas desciam aos pormenores de tudo que iria acontecer. Convenci McPherson a me cedê-las pelas horas seguintes, para que eu pudesse copiá-las, o que fiz já em inglês com a ajuda do sr. Andrade. Isso explica a reportagem completa que o *Herald* publicou ontem em nossa primeira edição vespertina. Posso imaginar as cabeças rolando entre os nossos colegas do *Times*, do *Tribune* e do *Daily Telegraph* por terem chegado tão atrasados à história.

E assim, sr. Bennett, creio ver encerrada minha participação na longa cobertura da visita de d. Pedro II. Os futuros desenvolvimentos do caso ficarão por conta de algum colega — sugiro Bill Olsen, que me ajudou na cópia das cartas enquanto o sr. Andrade as ditava.

Quanto a mim, usarei o generoso bônus que o senhor me concedeu e, subitamente pacificado, levarei minha noiva, srta. O'Hara — digo, futura sra. O'Kelly —, para conhecer Niágara.

Até breve, com os cumprimentos de

James O'Kelly

29

FINAL COM BEIJO
[*Narrador*]

A reportagem com a notícia da tentativa de assassinato de d. Pedro II chegou às agências telegráficas do Rio depois que estas já tinham encerrado o expediente. Só foi lida na manhã seguinte e não precisou de mais do que alguns minutos para espalhar-se pela Ouvidor e, em consequência, pelo resto da cidade. Cupertino Raposo e seus aliados de sedição souberam quase ao mesmo tempo — o atentado fracassara.

Os jovens oficiais republicanos do Exército — tenentes e capitães da Artilharia e da Infantaria, além de alferes-alunos do Colégio Militar —, desde cedo de prontidão para ordenar à tropa que marchasse sobre os objetivos, recolheram-se a seus quartéis, ficaram quietos e se safaram. Diz-se isso por dedução, porque os nomes desses oficiais nunca vieram à luz. Suspeita-se (e apenas se suspeita) que, entre os conspiradores, estariam o tenente-coronel Benjamin Constant, que não comandava tropa, e o coronel Floriano Peixoto, comandante do 1º Regimento de Artilharia a Cavalo da Corte, na Praia Vermelha. Treze anos depois, em 1889, os dois ajudariam a finalmente proclamar a república.

O próprio Raposo nunca foi preso. Ao saber do desfecho do ato em Nova York, logo fez as malas e tomou um trem para Minas Gerais, provavelmente Ouro Preto. Se foi lá que se escondeu pelos anos seguintes também não se sabe. Falou-se de sua morte em 1880, em Itabira, esmagado por uma grande lasca que se deslocou da pedreira. Houve quem mencionasse assassinato. Sua noiva, Carolina, de repente desimpedida, casou-se com um funcionário da legação da França, situada na rua Paissandu, e se mudou para a Guiana Francesa, quando seu marido foi servir lá.

Em Nova York, a jovem Josefina, acompanhante da imperatriz, viveu um momento difícil. Estava a duas poltronas do imperador no momento do atentado e ouviu o zunido da bala sem saber o que estava acontecendo. O restante daquele dia foi de muita confusão, com informações desencontradas sobre o que teria acontecido — só se sabia que um americano tentara matar Sua Majestade. Na manhã seguinte, Josefina leu estupefata a reportagem do *Herald* assinada por James O'Kelly, em que o nome de Leopoldo Ferrão, que lhe plantara tantas ilusões românticas, era eminentemente apontado como mandante.

Indiferente a todas as evidências, Josefina atribuiu isso ao ciúme de O'Kelly por ela tê-lo preterido em favor do sr. Ferrão. Descontrolada, seus protestos aos gritos no saguão do Fifth Avenue Hotel, brandindo o jornal entre os hóspedes, chamaram a atenção. Seu pai, o visconde de Cantagalo, tentou acalmá-la — debalde. Por causa disso, a imperatriz desligou-a da comitiva que seguiria para a Europa e mandou-a de volta para o Brasil, acompanhada de sua mãe, para ser recolhida a um convento. O visconde, vexadíssimo, seguiu viagem com o imperador. No Rio, as clientes do Desmarais fizeram disso uma festa.

Quanto a Sousândrade, voltou para o Brasil alguns anos depois e, como foi para o Maranhão, ninguém o incomodou. Reassumiu suas cátedras nas escolas de São Luís e, quando finalmente veio a república, foi nomeado prefeito da cidade. Mas ficou apenas um ano no cargo. Seu poema *O Guesa* foi publicado na íntegra por uma gráfica local, mas, durante décadas, ninguém lhe deu atenção. Só seria descoberto nos anos 1960 e, mesmo assim, por causa da seção "O inferno de Wall Street", considerada algo digno de Camões. Um Camões de hospício, claro, mas isso não é pouco. Sua participação no atentado contra d. Pedro — a princípio, comprometedora; depois, heroica — nunca fez parte de sua biografia e está sendo desvelada aqui pela primeira vez.

D. Pedro também nunca registrou o atentado em seu diário. Mencionou-o em cartas para a princesa Isabel, no Rio, e para a condessa de Barral, em Paris, mas de passagem, como se não lhe desse grande importância. E talvez não lhe tenha dado mesmo, porque não deixou que toldasse sua tolerância política. De volta ao Brasil em 1877, continuou a conviver com uma imprensa adversária e, mais de uma vez, declarou que, se deixasse de ser o imperador, contentar-se-ia em ser professor de uma escola pública. A provar isso, recusou o convite de posar para uma estátua e sugeriu que usassem o dinheiro para construir escolas. No fundo parecia saber que o Brasil seria, mais cedo ou mais tarde, república, e queria certificar-se de que a posteridade lhe seria amável como soberano.

James O'Kelly prosseguiu sua carreira de repórter no *Herald*, cobrindo revoluções, golpes de Estado, guerras e catástrofes. Isso lhe dava a oportunidade de viajar, conhecer países e culturas, experimentar pratos exóticos e envolver-se com belas mulheres.

Ao fim de sua cobertura da viagem de d. Pedro, informou a seu patrão James Gordon Bennett Jr. que usaria a gratificação que este lhe dera para se casar com a doce srta. O'Hara, de quem estava noivo havia anos, e passar a lua de mel em Niágara.

Este narrador gosta de histórias que terminam com beijo. Daí tem o prazer de relatar que, de fato, James O'Kelly foi visto, dias depois, aos beijos com uma bela jovem, tendo ao fundo as cataratas.

Só que a jovem não era a srta. O'Hara.

FIM DE

OS PERIGOS DO IMPERADOR

1ª EDIÇÃO [2022] 4 reimpressões

ESTA OBRA FOI COMPOSTA PELA SPRESS EM PALATINO E IMPRESSA
EM OFSETE PELA LIS GRÁFICA SOBRE PAPEL PÓLEN DA SUZANO S.A.
PARA A EDITORA SCHWARCZ EM JULHO DE 2025